W9-CPF-495

EDAF

MADRID - MÉXICO - BUENOS AIRES - SAN JUAN - SANTIAGO

Ene/05.

Con todo mi
amor. a mis hijos
Rodolfo e Itzel

Susan.

STEVE BIDDULPH

El secreto del niño feliz

Una guía imprescindible para padres y educadores

TU HIJO Y TÚ

Título del original:
THE SECRET OF HAPPY CHILDREN

Editorial EDAF, S.A.
Jorge Juan, 30. 28001 Madrid
http://www.edaf.net
edaf@edaf.net

Licensia editorial para
Bookspan por cortesía
al Editorial Edaf, S.A.

Bookspan
501 Franklin Avenue
Garden City, NY 11530

ISBN: 84-414-0080-X

Printed in U.S.A. Impreso en U.S.A.

¡Mi agradecimiento y amor para Shaaron, que me ha dicho que esta vez quería ser la primera!

La mayor parte del material incluido en esta edición surgió de la incomparable ayuda que hemos recibido de nuestros maestros Ken y Elizabeth Mellor para educar a nuestros hijos. Gracias también a nuestros editores. Rex Finch para la primera edición, y Annette Robinson y Sheridan Carter para la actual.

Gracias a todos aquellos que nos apoyaron con optimismo.

Índice

La historia que está detrás de este libro

CUANDO escribí por primera vez *El secreto del niño feliz*, no imaginé que tendría la difusión que ha tenido. Diez años después de haberlo escrito a máquina por primera vez, ha sido leído por un cuarto de millón de personas en, al menos, cinco países. En la actualidad paso una buena parte de mi tiempo dando conferencias en Australia para todos aquellos que se han interesado por el libro y también para los que no han encontrado esa noche ningún programa de televisión interesante.

Escribí *El secreto del niño feliz* cuando me iniciaba como terapeuta familiar, con el sincero deseo de facilitar a padres y madres una buena comunicación con sus hijos y para ayudar a los niños a vivir sin los miedos y humillaciones que nuestra generación frecuentemente sintió.

La primera edición anunciaba en la primera página que yo no tenía hijos, sólo wombats* (¡y que éstos se portaban bastante mal!). Mencioné este hecho porque era verdad y porque deseaba que mis lectores tomaran todo lo que yo decía con una pizca de sal: para que se fiaran principalmente de su propio juicio. Todavía creo en esto: ¡los expertos son un riesgo para su salud! Su propio corazón le indicará cuál es el mejor camino para criar a sus niños, si usted sabe escucharlo. Los libros, los expertos, los amigos, los cursillos, sólo le ayudarán si consiguen que usted se acerque cada vez más a su propio corazón.

Actualmente tengo hijos Y wombats. Todavía me siento conmovido cuando veo una joven madre con su bebé recién nacido,

---

* Wombats: animales australianos. *(N. de la T.)*

o un joven padre de compras con sus hijos, intentando, como todos, hacerlo bien y dar a sus hijos el mejor comienzo posible.

Me siento orgulloso de estar lanzando esta nueva edición. Miles de padres me han dicho personalmente que las ideas expuestas en el libro les resultan convincentes y de gran ayuda. He incorporado en esta nueva edición muchas de las cosas que ellos me han enseñado con el fin de mejorar el libro. (Y tengo pensado incorporar muchas ideas más en un libro de próxima aparición.)

Todos necesitamos amor y estímulo para llevar adelante esta tarea y criar niños alegres, saludables y cariñosos.

Aquí va mi amor y mi estímulo para usted.

STEVE BIDDULPH

Prefacio

¿POR qué hay tantos adultos que no son felices?

Piense en toda la gente que conoce que tiene problemas: los que no tienen confianza en sí mismos, los que son incapaces de tomar decisiones, los que se preocupan por pequeños detalles, los que no pueden relajarse, y piense también en aquellos que no son capaces de hacer amigos, en los que son agresivos, humillan a la gente o ignoran las necesidades de quienes están a su alrededor. Agregue usted a la lista a todos aquellos que sólo logran sostenerse pensando en la próxima copa o en el próximo tranquilizante.

En uno de los países más ricos y pacíficos del mundo, la desdicha es endémica. Un adulto entre cinco necesitará asistencia psiquiátrica en un momento determinado, uno de cada tres matrimonios termina en divorcio, uno de cada cuatro adultos necesita medicación para relajarse. ¡Vaya una vida!

El desempleo y las dificultades económicas no lo hacen más fácil, pero la falta de felicidad abunda en todos los grupos —ricos, pobres y los que están en medio—, y este problema no se resuelve con dinero.

Por otra parte, nos quedamos perplejos frente al constante optimismo y buen humor de algunas personas. ¿Por qué en algunos individuos el espíritu humano florece a pesar de aparentes infortunios?

El núcleo del problema reside en que muchas personas tienen programada la desdicha en su interior, se les ha enseñado inconscientemente a ser desdichados y ellos simplemente viven con ese guión. Al leer este libro, usted puede descubrir que, sin quererlo, usted está hipnotizando a sus hijos para que ellos no se gusten a sí mismos, y causándoles de este modo problemas que pueden durar toda una vida.

Este libro explica el modo en que todo esto sucede y cómo modificarlo, es decir, cómo crear niños felices.

1

Semillas en la mente

Usted hipnotiza a sus hijos todos los días. ¡Puede hacerlo también correctamente!

SON las nueve de la noche y estoy sentado en mi despacho con una vieja joven de quince años que está llorando. Está vestida con ropa de moda propia de una joven algo mayor que ella, sin embargo, parece aún más infantil y desamparada. Está embarazada y estamos hablando sobre cuál es la mejor forma de solucionar su problema.

Ésta es una escena familiar para mí y para todo aquel que trabaje con adolescentes, pero esto no quiere decir que se pueda tratar el problema de forma rápida; lo único que cuenta es que tengo a una jovencita frente a mí que está pasando el peor día de toda su vida y necesita todo el apoyo, tiempo y claridad que yo pueda ofrecerle, aunque, por encima de todo, ella debe decidir por sí misma.

Le pregunto cuál podría ser la reacción de sus padres si se enteraran, y casi escupió la respuesta.

> **«¡Oh, dirán que me lo habían advertido. Siempre han dicho que nunca valdría para nada!»**

Más tarde, mientras me dirijo hacia casa, esa frase resuena en mi mente. «Siempre han dicho que nunca valdría para nada.» He escuchado muchas veces a padres que se dirigían de este modo a sus hijos.

> **«Eres imposible.»**
> **«Dios mío, eres un pelmazo.»**

«Te arrepentirás, ya lo verás.»
«Eres tan malo como tu tío Merv (que está en prisión).»
«Eres igual que tu tía Eve (a quien le gusta beber).»
«Estás loco, ¿me oyes?»

Esta clase de programación con la que muchos jóvenes son educados es transmitida de forma inconsciente por padres nerviosos y, como una especie de maldición familiar, continúa de generación en generación. Se la denomina una *profecía de realización personal* ya que se convierte en realidad por el mero hecho de nombrarla. Los niños, con sus comportamientos extrañamente cooperativos, brillantes y perceptivos, viven generalmente de acuerdo con nuestras expectativas.

Éstos son ejemplos extremos que todos reconocemos de forma inmediata como destructivos, pero la mayor parte de la programación negativa es mucho más sutil. Observen a un grupo de niños jugando en un descampado y trepando a los árboles.

«¡Te vas a caer! ¡Ten cuidado! ¡Vas a resbalarte!», grita la voz ansiosa de la madre desde el otro lado de la empalizada.

El padre, ligeramente bebido, termina una discusión poco entusiasta con su esposa que, ofendida, se apresura a salir en busca de tabaco. «¡Así son las mujeres, hijo, nunca te fíes de ellas, sólo querrán utilizarte!» El hijo de siete años mira a su padre solemnemente y asiente con la cabeza. «Sí, papá.»

Y, en un millón de cocinas y salas de estar:

«Dios mío, eres un vago.»
«Eres tan egoísta.»
«Acaba ya de hacer eso, grandísimo idiota.»
«¡Estúpido!»
«Dámelo ya, imbécil.»
«¡No seas tan trasto!»

¿Cómo hipnotizamos a nuestros hijos?

Lo que hemos descubierto es que este tipo de comentarios no sólo hacen que el niño se sienta mal en ese momento, también

tienen un efecto hipnótico y actúan de forma i
si sembráramos semillas en la mente, las semi
cer y formar la autoimagen y que, finalmen
en la personalidad del niño.

La hipnosis y la sugestión han sido siempre una fue
cinación, pues parecen ligeramente místicas e irreales, y, aun
son aceptadas científicamente. Muchas personas han sido testigos de dichas técnicas, quizá como parte de un espectáculo, utilizadas para curar un hábito o como un método de relajación.

Los elementos claves de la hipnosis nos son familiares: la utilización de algún dispositivo para distraer nuestra mente («Mire atentamente este péndulo»), el tono imperativo («No sentirá usted nada»), y el tono repetitivo y rítmico que utiliza el hipnotizador. También conocemos la sugestión poshipnótica, es decir, la habilidad para impartir una orden que luego será ejecutada por la persona hipnotizada, sin ninguna sospecha y, frecuentemente, con gran consternación, ante una determinada señal. Todo esto puede ser un buen espectáculo, pero también una excelente terapia en las manos de un profesional cualificado.

La mayoría de la gente no repara en el hecho de que la hipnosis es algo que sucede todos los días. Cada vez que utilizamos ciertos modelos al hablar, llegamos a la mente inconsciente de nuestros hijos y los programamos, aunque no sea ésa nuestra intención.

El viejo concepto —que la hipnosis requería un estado alterado de la mente o un trance— ya se ha abandonado. Ésta era sólo una forma de aprendizaje inconsciente, pero la inquietante verdad es que la raza humana puede ser programada en la vida cotidiana sin ser consciente de ello. En los Estados Unidos se entrena a agentes comerciales y publicitarios para que introduzcan métodos hipnóticos en las conversaciones de negocios habituales; un concepto estremecedor. (Para obtener más información, véase «Información Final» en el Apéndice). Afortunadamente, la hipnosis requiere de una gran destreza para ser utilizada de un modo manipulador, y puede ser contrarrestada si el sujeto toma conciencia del proceso. Sin embargo, la hipnosis accidental está tan presente en la vida diaria que los padres implantan mensajes en la

¡Johnny!
Vas a resbalarte y te caerás, te fracturarás la pelvis, y te cortarás la carótida con ese cristal, y la ambulancia equivocará el camino hacia el hospital y perderás medio litro de sangre y tendremos que cuidarte durante meses, y ¿cómo crees que ME sentiré entonces?

mente de sus hijos sin darse cuenta y, a menos que sean firmemente desmentidos, dichos mensajes formarán un eco que durará toda la vida.

Hipnotizado sin saberlo

El ya fallecido doctor Milton Erikson era mundialmente reconocido como el mejor hipnotizador. Cierta vez acudió a tratar a un hombre aquejado de cáncer y que padecía terribles dolores que ningún calmante lograba apaciguar, pero, aun así, él se negaba a ser hipnotizado. Erikson simplemente se detuvo junto a su habitación y comenzó a hablar con él de la afición que este hombre tenía por cultivar tomates.

Un observador agudo podría haber detectado el ritmo inusual de su conversación y la forma de acentuar ciertas frases singulares, como «muy profundamente» (en la tierra), creciendo «buenos y fuertes», «fácil» (de recoger), «cálidos y flojos» (en el invernadero). El observador hubiera reparado también en que la cara y la postura de Erikson cambiaban sutilmente mientras pronunciaba estas frases clave. El paciente pensó que se trataba simplemente de una conversación agradable. A pesar de que los médicos dijeron que era absolutamente imposible, el hombre no sintió dolor alguno hasta que murió cinco días más tarde.

Mensajes «Tú»

La mente de un niño está repleta de preguntas y, posiblemente, las más importantes sean: «¿Quién soy?», «¿Qué clase de persona soy?», «¿En qué sitio encajo yo?».

Estas preguntas sobre la autodefinición, o la identidad, son la base de nuestra vida adulta, y de acuerdo con ellas tomamos nuestras decisiones más importantes. Por eso, la mente de un niño se ve notoriamente afectada por las afirmaciones que comienzan por las palabras «Tú eres».

No importa si el mensaje es «Eres un vago» o «Eres un gran chico», ambas frases provienen de los «importantes» adultos y se dirigen profunda y firmemente al inconsciente del niño. He escuchado a muchos adultos en momentos críticos de su vida pronunciando lo que oyeron cuando eran niños: «Soy tan inútil, no sé quién soy.»

Los psicólogos, como muchos grupos profesionales, tienden a complicar un poco las cosas, y llaman a estas frases «atribuciones». Estas atribuciones afloran una y otra vez durante toda la vida adulta.

«¿Por qué no te postulas para esa promoción?»
«No soy lo suficientemente buena.»

«Pero si es igual que tu último marido. ¿Por qué te casaste con él?»
«Supongo que porque soy imbécil.»

«Por qué les permites que te avasallen de ese modo?»
«Ésa es la historia de mi vida.»

Estas palabras —«no soy suficientemente buena», «soy imbécil»— no caen del cielo y se graban en el cerebro de las personas porque les fueron dichas en un momento en el cual les era imposible cuestionar su veracidad. Casi puedo escucharlas decir: «¿Pero los niños pueden estar en desacuerdo con los mensajes "Tú" que reciben?»

Obviamente, los niños piensan las cosas que les dicen los adultos, e intentan comprobar si son verdaderas, pero es probable que no dispongan de otras opciones para comparar.

De vez en cuando, todos somos egoístas, perezosos, desordenados, estúpidos, olvidadizos, etc. El predicador de aquella antigua iglesia estaba en lo cierto cuando gritaba: «¡Habéis pecado, todos lo habéis hecho!»

«Los adultos lo saben todo, incluso pueden leer tu mente», esto es lo que piensan los niños. De modo que cuando se le dice a un niño «Eres torpe», él o ella se ponen nerviosos y se comportan torpemente. Al niño que se le dice «Eres como la peste» siente el rechazo y se desespera por reafirmarse, y entonces no deja de molestar. Un niño al que se le ha dicho «Eres un idiota» puede reaccionar violentamente en lo exterior pero internamente aceptarlo con tristeza, «Tú eres el adulto, de modo que debes estar en lo cierto».

vel consciente como
lido con frecuencia a
ían cosas como: «Soy

sión: «Mamá y papá
o es verdad.» Cons-
inconscientemente
se esconde detrás

emos elegir decirle a
ero que recojas tus
tos duraderos. Pero
qué nunca haces lo
mensaje en cualquier
no podrá sorpren-

No simule usted estar cariñoso o feliz cuando no se siente así; es un comportamiento confuso y puede hacer que los niños se tornen evasivos y a veces resulten bastante perjudicados. Podemos ser honestos en relación con nuestros sentimientos sin que ello afecte de forma negativa a los niños. Ellos pueden comprender que usted diga: «Hoy me siento muy cansado», o «En este momento estoy furioso...», especialmente si concuerda con lo que ellos han intuido y esto les ayuda a saber que usted también es humano, lo cual es algo realmente bueno.

En una concurrida reunión de padres en la que en cierta ocasión pronuncié una conferencia, les pregunté si podían recordar los mensajes «Tú» que habían escuchado durante su infancia. Los anoté en la pizarra y esto es lo que surgió:

¡Eres muy
guapa!
¡No es
verdad!

Eres torpe, estúpido y vago
Un estorbo de niña
Demasiado joven para comprender
Estúpido egoísta
Sucio como la peste
Desconsiderado, irreflexivo
Siempre tarde, egoísta
Eres ruidoso, tienes mal genio y careces de cerebro
Eres un gallina, loco de cuidado
Estás poniendo a tu madre enferma
Completamente inmaduro
Eres igual que tu padre
...y así sucesivamente.

Al principio, los ejemplos comenzaron a aparecer por ráfagas, mientras la memoria de los que estaban allí presentes se disparaba, pero al final la pizarra estaba llena de frases y la sala era un tumulto general. La sensación de alivio y liberación era muy evidente mientras la gente pronunciaba en voz alta todas las palabras que los habían herido tantísimos años atrás.

Muy pocas personas sentían que sus padres habían sido deliberadamente destructivos o maliciosos; era simplemente el modo que encontraban para corregir a sus hijos. «Diles que son malos y eso los hará buenos.» Ésas eran las Épocas Oscuras de la crianza de los niños; es ahora cuando estamos comenzando a escapar de ellas.

Su mente recuerda todo lo que le ha sucedido

En la década de los cincuenta la gente que sufría epilepsia lo pasaba muy mal pues aún no existían los medicamentos que ahora utilizamos. Un hombre llamado Penfield descubrió que una intervención quirúrgica podría ser útil en los casos más graves. Haciendo pequeños cortes en la superficie del cerebro, podía reducir o incluso detener las «tormentas eléctricas» que causaban los ataques epilépticos.

La parte interesante —espero que estén sentados mientras leen esto— es que se solicitaba a los pacientes que estuvieran conscientes durante la operación, de modo que ésta se realizaba con anestesia local. El cirujano retiraba un pequeño trozo de cráneo, realizaba los cortes y luego volvía a poner la pieza en su lugar y cosía la herida. Igual que a ustedes, esto también me hace estremecer, pero era mejor que la enfermedad.

Durante la intervención los pacientes experimentaban algo sorprendente. Mientras el cirujano, utilizando una pequeña sonda, hacía mínimos contactos con el cerebro, el paciente experimentaba vívidos recuerdos: veía *Lo que el viento se llevó* tal como lo había visto años atrás, junto con el olor a perfume barato de la sala y el peinado estilo colmena de la persona que ocupaba el asiento de adelante. Cuando el doctor movía la sonda a otro punto del cerebro, la persona podía ver la fiesta de su cuarto cumpleaños, a pesar de estar semiconsciente y estar sentado en el quirófano. Lo mismo sucedió con cada paciente, aunque por supuesto los recuerdos eran diferentes.

Una investigación posterior apoyó este descubrimiento extraordinario: todo —cada visión, sonido o palabra hablada— se almacena en nuestro cerebro. En ocasiones es difícil recordar, pero, de cualquier modo, todo está allí y tiene su efecto. En la rugosa superficie de nuestro cerebro está grabada toda nuestra vida.

La audición inconsciente es un fenómeno que con toda seguridad usted ha experimentado alguna vez. Por ejemplo, usted está en una reunión o en una fiesta y escucha a alguien que habla cerca de usted La habitación está abarrotada de gente charlando y quizá también suena la música. De pronto, desde una conversación que está teniendo lugar al otro lado de la habitación, usted escucha su nombre, el nombre de algún amigo o el de alguien que conoce. ¡Oh!, ¿qué están diciendo sobre mí?, piensa usted.

¿Cómo es que esto sucede? Hemos descubierto a través de nuestras investigaciones que hay dos maneras de escuchar: en primer lugar, lo que sus oídos realmente recogen, y, en segundo lugar, aquello a lo que se presta atención consciente.

¡Tócala
de nuevo,
Sam!

A pesar de no ser consciente de ello, su brillante sistema auditivo filtra cada una de las conversaciones que tienen lugar en el ámbito de la habitación y, si aparece alguna palabra o frase clave, el departamento de elaboración de su cerebro lo «conecta» con la atención consciente. Obviamente, resulta imposible escuchar todo aquello que se ha dicho simultáneamente, pero, de cualquier manera, existe un filtro primitivo que está a la espera de importantes mensajes. Sabemos esto gracias a muchos experimentos y también gracias al hecho de que, bajo efecto hipnótico, la gente recuerda cosas o situaciones que no habían advertido de forma consciente en el momento que las experimentaba.

La siguiente situación es conocida en muchas partes del mundo:

Es de noche y un remolque rueda calle abajo fuera de control, estrellándose contra la fachada de una casa. Cuando los servicios de socorro entran en la vivienda encuentran a una joven madre durmiendo profundamente sin que el tremendo accidente haya perturbado su sueño. Están de pie junto a ella, sin saber muy bien qué hacer, cuando de pronto se escucha el llanto de un bebé desde la habitación trasera. La madre se despierta inmediatamente preguntando qué es lo que está sucediendo.

El filtro de su sistema auditivo sigue funcionando mientras ella duerme, pero sólo se ocupa de una sola cosa —el bebé—, y es únicamente este sonido el que llega hasta su mente.

¿De qué modo se relaciona todo esto con los niños? Piense en todo aquello que se dice respecto de los niños cuando se piensa que no están escuchando. Luego, recuerde sus sutiles poderes auditivos (¡la envoltura de un caramelo a 50 metros!). Podemos incluir también el tiempo en que permanecen dormidos, ya que existe una clara evidencia de que los sonidos y las palabras se reciben aun cuando el sujeto está dormido y soñando.

Y también piense en ese tiempo en el cual su hijo no ha aprendido aún que puede hablar (o no ha decidido dejárselo saber a usted). El bebé es capaz de comprender mucho de lo que se le dice, si no todo, meses antes de poder hablar.

Me resulta divertido escuchar a aquellos padres, que se han estado peleando amargamente durante años o que son francamente desdichados, decir: «Por supuesto, que los niños no saben nada de todo esto.» De hecho, los niños lo saben todo acerca de todo: pueden guardar el secreto o mostrarlo de forma indirecta, intentando matar a su hermanito o mojando la cama, pero ellos lo *saben*. De modo que, si habla de sus hijos, asegúrese de decir lo que realmente quiere decir, porque éste es también un canal directo con sus mentes.

¿Y por qué no utilizar este canal para estimularlos hablando de lo que verdaderamente aprecia de ellos cuando pueden escucharlo? Esto es especialmente útil para esas etapas o edades en las que los elogios o reconocimientos directos les resultan embarazosos.

Escuchar y curar

Una de mis profesoras, la doctora Virginia Satir, me contó la siguiente historia:

En un hospital acaban de operar a una niña de las amígdalas, ha regresado a su habitación y no para de sangrar. La doctora Satir reúne al equipo para examinar los cortes aún abiertos de la garganta de la niña.

De pronto, movida por un impulso, la doctora pregunta qué es lo que ha pasado en el quirófano durante la intervención.

«Acabábamos de operar de cáncer de garganta a una anciana.»

«¿De qué hablaban?»

«De esa operación, y de las pocas posibilidades de vida de dicha señora —¡el cáncer estaba muy extendido!»

La mente de la doctora Satir trabaja de prisa. Ve a la niña inmersa en un proceso simple y rutinario para los médicos que la atienden y bajo el efecto de una anestesia general. Mientras la operan, hablan de la paciente anterior: «Pocas oportunidades de vivir», «Muy extendido».

Solicita rápidamente que vuelvan a llevar a la niña al quirófano y los instruye en lo que tienen que decir:

«¡Esta muchacha es fuerte y saludable, no como esa pobre mujer que acabamos de intervenir.» «Esta jovencita tiene una garganta preciosa.» «Se curará rápidamente y pronto estará otra vez jugando con sus amigos.»

La hemorragia se detuvo, el efecto de la anestesia desapareció y la muchacha fue dada de alta al día siguiente.

Reforzamiento

Es éste uno de los descubrimientos más recientes de la hipnosis. Los científicos han descubierto que un mensaje cala más profundamente en la mente de una persona si está acompañado por otras señales que lo refuerzan.

Esto es realmente muy simple.

Si una persona le dice: «¡Es usted un pelmazo!», seguramente que usted se disgustará. Si se lo dice con una voz fuerte y amenazadora, el efecto será aún peor. Si se lo dice dando voces y se dirige hacia usted con movimientos amenazantes y parece estar algo fuera de control, entonces se encontrará usted en una situación comprometida.

Si esa persona es tres veces más grande que usted y es un familiar —o alguien del que depende su bienestar—, usted, con toda seguridad, recordará el incidente toda su vida.

Los hombres y mujeres de nuestros días, especialmente aquellos que descendemos de los anglosajones, tendemos a ser reservados en nuestra vida cotidiana, no actuamos ni hablamos con mucha fuerza o pasión. Esto no significa que tengamos un tono bajo o que seamos relajados, sólo somos más controlados y reprimidos. Tendemos a guardarnos nuestros buenos o malos sentimientos, y, cuando las cosas se ponen mal, intentamos mantener el tipo sin demostrar nada. A causa de esto, cuando explotamos o nos hundimos, no sólo nos sorprendemos a nosotros mismos, sino también a nuestros allegados. Si el sentimiento liberado es la ira o la frustración, los que están a nuestro alrededor sentirán que hemos perdido el control y que somos peligrosos. ¡Y nosotros estaremos seguramente de acuerdo con ellos!

Como consecuencia de esto, nuestros hijos pueden vivir una situación en la que los mensajes cotidianos son imprecisos e indirectos: «No hagas eso ahora, querido, ven aquí.» «Éste sí que es un buen chico.» Tanto el mensaje positivo como el negativo son accidentales y no causarán un fuerte impacto.

De repente, un día, Mamá o Papá están muy agobiados y entonces tiene lugar un exabrupto. «¡Cállate de una vez, mocoso!», reforzado con una mirada salvaje, un brusco acercamiento, un timbre de voz jamás escuchado anteriormente y una estremecedora falta de control que ya no se olvidará jamás. El mensaje es ineludible, aunque no sea verdadero: «Esto es lo que mamá o papá piensa de mí.»

Las palabras que los padres pueden pronunciar en tal estado de alteración son extremadamente fuertes.

¿Qué estás haciendo?
Es una prueba de audición.
Schokoriegel
...¡la envoltura de una chocolatina a 50 metros!
VROOMM
SCHOKORIEGEL

«Cómo desearía que no hubieras nacido.»
«Eres un imbécil, un verdadero idiota.»
«Me estás matando, ¿me oyes?»
«Te estrangularía.»

No es malo enfadarse con los niños o mientras se está con ellos. Por el contrario, los niños necesitan saber que uno puede estar enojado y que necesita descargar tensión y hacerse escuchar en un lugar seguro. Elizabeth Kubler Ross afirma que la cólera real dura 20 segundos y es casi siempre ruidosa. El problema comienza cuando los mensajes positivos («¡Eres fantástico!», «Te queremos», «Cuidaremos de ti») no tienen la misma fuerza que los negativos ni resultan tan fiables. A menudo tenemos sentimientos positivos hacia nuestros hijos y, sin embargo, no se los comunicamos.

Casi todos los niños son muy queridos, pero muchos de ellos simplemente no lo saben, y muchos adultos morirán incluso creyendo que han sido un estorbo y una desilusión para sus padres. Uno de los momentos más emotivos en una terapia familiar es aquel en el cual es posible aclarar este malentendido.

En los momentos en que la vida del niño se torna un poco inestable —la llegada de un hermanito, el divorcio de sus padres, un fracaso escolar, una adolescente esperanzada que no consigue encontrar trabajo...— es muy importante dar mensajes positivos, reforzados con una mano sobre el hombro y una mirada limpia: «Pase lo que pase, tú eres especial e importante para nosotros; sabemos que eres una gran persona.»

Hasta aquí nos hemos ocupado de una programación inconsciente que convierte a los niños en adultos desdichados. Existen también modos muy directos de lograr el mismo efecto.

QUÉ ES LO QUE NO SE DEBE HACER

Cuando se intenta disciplinar a un niño, utilizar infravaloraciones u órdenes humillantes en vez de simples peticiones.

«Devuélveme eso, mocoso egoísta.»

Utilizar desvalorizaciones con un tono amistoso; como si fuera un nombre cariñoso.

«Eh tú, orejas de elefante, la cena está lista.»

¡Compare!

«Eres tan malo como tu padre.»
«¿Por qué no eres tan bueno y dulce como tu hermanito?»

¡Poner un ejemplo!

«¿Quieres hacerme el favor de relajarte de una vez!»
«Como le pegues otra vez, soy capaz de MATARTE!»

Hablar con otras personas de los defectos de sus hijos cuando ellos están escuchando.

«Es absolutamente tímida, no sé qué va a ser de su vida.»

Enorgullecerse de patrones que necesariamente causarán problemas más adelante.

«Seguramente le dio a la niña con el cinturón. Es un verdadero pequeño monstruo.»

Utilizar la culpa para controlar a los niños.

«Dios mío, me agotas. Me encuentro tan mal que podría tumbarme y dejarme morir.»
«Mira lo que estás haciendo con tu madre.»

Si excluye esta clase de afirmaciones de su repertorio, tanto usted como sus hijos se sentirán muchísimo mejor.

¡TE VOLVERÉ LOCO!

¿Se han detenido ustedes alguna vez a escucharse mientras hablan con sus hijos? ¿Y no han lamentado sus palabras? Muchas de las cosas que les decimos a los niños son simplemente locuras. El comediante escocés Billy Connolly ha introducido algunas de ellas en su reciente recital... (es preciso imaginar su acento).

«¿Mamá, puedo ir al cine?» «¿Cine? Te voy a dar cine a ti.»

«¿Entonces, puedo comer pan?» «Pan, yo te daré pan, hijito.»

Muchos de nosotros recordamos frases que ya en el momento de escucharlas nos parecieron carecer de sentido, como por ejemplo: «Ponte los pantalones muchacho...» «Si no recuperas el juicio pronto...» «Te vas a reír con el otro lado de tu cara...» «Yo te enseñaré, no vas a reírte de mí», y así sucesivamente. No es de extrañar que mucha gente llegue un poco confusa a la adultez.

He estado recientemente en un colegio de EGB donde un grupo de padres había llevado a sus pequeños para que se integraran en un nuevo grupo de juegos. Mientras esperábamos para comenzar, un niño curioso y alegre empezó a bajar cierto material de matemáticas que había en una librería. La madre, preocupada por lo que el niño estaba haciendo, lo amenazó: «¡Si tocas eso, la maestra te cortará los dedos!» Ahora cualquiera de nosotros puede entender la motivación de esa madre para decir semejante cosa —cuando nada funciona, pruebe usted con el terror—, pero ¿qué conclusión puede sacar un chiquillo de la vida después de escuchar este tipo de mensaje impulsivo? Sólo puede pensar dos cosas: el mundo está loco y es un lugar peligroso, o es mejor no escuchar a mamá, dice muchas tonterías. Así comienza una vida realmente mal modelada, y si nos detenemos a pensar en ello, ¡todos hemos dicho este tipo de cosas!

Un día (y ésta es una confesión real) le dije a mi hijo de dos años que si no se ajustaba el cinturón de seguridad, la policía podía enojarse con él. Tenía calor, estaba cansado y harto de tener que lidiar con niños que no dejaban de protestar para que se ajustaran las hebillas de los cinturones de seguridad. Escogí la vía rápida y pronto hube de pagar por ello; tan pronto como las palabras surgieron de mi boca ya estaba arrepentido. Durante los siguientes días tuve que responder las insistentes preguntas de los niños, como, por ejemplo: «¿Todos los policías llevan pistola?» «¿Hay algún policía en esta carretera?» Fue todo un trabajo de reconstrucción conseguir que los niños volvieran a sentirse relajados y tranquilos con el tema de la policía.

No deberíamos tener que explicar todo a nuestros niños, ni razonar con ellos sin parar hasta sentirnos agotados. «Porque yo lo digo» puede ser en muchas ocasiones una buena razón, pero nada se gana cuando se los asusta sin necesidad. «Verás cuando llegue tu padre a casa...», «Me pones tan enferma que un día me marcharé...» «Te meteremos en un colegio interno...» Éstos son los mensajes que hacen daño y obsesionan a los niños, aun a los más fuertes. Somos su primera fuente de información y, con el paso del tiempo, nuestra credibilidad se pone a prueba (pues ellos comienzan a tener otras fuentes de información para comparar). Nuestra misión es la de ofrecerles una descripción realista, incluso un poco rosa, del mundo para que ellos la puedan seguir construyendo cuando se alejen de casa y así sentirse seguros y firmes interiormente. Cuando les toque enfrentarse con la falta de honradez, por lo menos sabrán que algunas personas son de fiar y que es bueno que estén cerca —incluso Mamá y Papá.

¿Por qué los padres infravaloran a sus hijos?

En este punto, es posible que la mayoría de ustedes se sientan culpables por la forma en que hablan con sus hijos, pero es preciso que no saquen estas ideas de su contexto. Son muchas las cosas que pueden hacerse para superar esta programación si los niños son aún pequeños e incluso si ya son adultos.

El primer paso es comenzar a entenderse uno mismo y saber por qué se ha utilizado la infravaloración con los niños. Casi todos los padres se sienten culpables de vez en cuando por haber dicho alguna vez cosas innecesarias como las que ya hemos comentado. Existen tres razones principales:

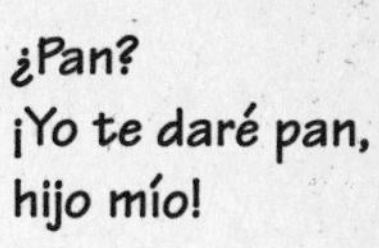
¿Pan?
¡Yo te daré pan,
hijo mío!

1. Usted dice lo que se le ha dicho

En la escuela no le enseñaron cómo ser padre, usted tuvo que empezar a aprenderlo cuando nacieron sus hijos, pero disponía de un ejemplo claro sobre el cual apoyarse: sus propios padres.

Estoy seguro que se ha encontrado de pronto en un momento acalorado, pensando: «Dios, esto es lo que me decían mis padres y yo los odiaba por ello.» Esas antiguas grabaciones son su «piloto automático», pero, sin embargo, con práctica y presencia de ánimo, usted podrá utilizarlas del modo que realmente prefiera.

Algunos padres, por supuesto, se van al otro extremo y, debido a sus penosos recuerdos, juran que jamás regañarán ni castigarán a sus niños y que nunca los privarán de nada. El peligro en este caso es que exageren y que sus niños sufran debido a la falta de control. No es fácil, ¿verdad?

2. Usted simplemente pensó que eso era lo correcto

Una vez se pensó que los niños eran esencialmente malos, y que lo que había que hacer era decirles lo malos que eran, de este modo se avergonzarían y, por lo tanto, serían buenos. Quizá usted fue educado de este modo porque su padre nunca se detuvo a pensar en la autoestima ni en la necesidad de hacer que sus niños ganaran confianza en sí mismos. Si así fue, espero que lo que está leyendo le ayude a cambiar su mente. Ahora que conoce el daño que puede causar a sus hijos, estoy seguro que dejará de utilizar frases humillantes.

Escasea el dinero, usted está sobrecargado de trabajo, se siente solo, está aburrido, o estar en casa no es suficiente para usted, éstas son las ocasiones en las que más probablemente usted será destructivo con sus niños.

3. Usted está funcionando con las reservas

Las razones son claras. Cuando nos sentimos de alguna manera presionados sufrimos de una tensión física que necesitamos descargar, y nos sentimos mucho mejor cuando la aligeramos con alguien a través de actos o palabras.

Los niños sufren porque es más fácil enfadarse con ellos que con su esposa, con el jefe, con el casero o con quien sea. Es importante pensar en esto: «Estoy tan tenso. ¿Con quién estoy enfadado *realmente*?»

El alivio inicial de haber descargado la tensión tiene vida corta, pues es muy probable que el niño se porte aún peor después de haber recibido esa energía negativa.

Cuando esto suceda, es fundamental que usted encuentre una forma más apropiada de deshacerse de la energía que le sobra.

La tensión se puede disipar de dos maneras:

1. Por medio de una acción vigorosa —tal como sacudir un colchón—, realizando un trabajo enérgico o dando un rápido paseo. Ésta no es una cuestión sin importancia; más de un niño ha salvado la vida al ser encerrado en su habitación mientras un padre desquiciado caminaba kilómetros para intentar tranquilizarse.
2. Disolver la tensión hablando con un amigo, buscando el afecto de su esposa o de su marido (si tiene usted la fortuna de tenerlo) o a través de alguna actividad como yoga, deportes o masajes que eliminan la tensión del cuerpo.

Finalmente, como padre, debe usted aprender a cuidar de sí mismo tanto como cuida a sus niños. Francamente, ayuda más a sus hijos encontrando un momento del día para estar a solas (cuidando de su salud, relajándose, etc.) que dedicándose devotamente a ellos.

Hasta aquí hemos llegado con las malas noticias. El resto del libro habla de cómo facilitar las cosas. Es posible cambiar, y muchos padres me han comentado que el simple hecho de escuchar estas ideas en una conferencia o en la radio, les ha ayudado de forma inmediata.

Es muy probable que mientras lean estas líneas, sus ideas ya hayan comenzado a cambiar; descubrirán que, aun sin intentarlo,

Querida, ven aquí
ahora mismo.
¡Dios mío, ha
funcionado!
Zooo

de actuar con sus hijos será más fácil y más positiva. rometerlo!

LA FORMA DE DECIR LAS COSAS. LAS PALABRAS POSITIVAS PRODUCEN NIÑOS COMPETENTES

No solamente los elogios o las frases humillantes determinan el nivel de confianza de un niño. Existen otras formas para programar a los niños —especialmente por la forma de dar órdenes e instrucciones— eligiendo palabras positivas o negativas.

Como adultos, guiamos nuestro comportamiento y sentimientos mediante «conversaciones con nosotros mismos», ese murmullo que tiene lugar dentro de nuestras cabezas. («Espero no olvidarme de la gasolina», «Oh Dios, me he olvidado el monedero, debo estar senil», etc.) Los psicólogos se sorprenden por las diferentes formas de hablar mentalmente que evidencian las personas sanas y felices y aquellas que están enfermas o afligidas. La autoconversación se aprende directamente de los padres y maestros. Es una gran oportunidad poder utilizar con sus propios hijos toda clase de información útil y positiva que ellos puedan internalizar —y esto será una parte estimulante y cómoda que utilizarán durante toda su vida.

Los niños aprenden internamente cómo organizarse, según la forma que los organizamos nosotros, a través de las palabras, de modo que éstas deben ser positivas. Por ejemplo, podemos decirle a un niño: «Por lo que más quieras, no vuelvas a meterte en peleas hoy en el colegio», o podemos decirle: «Espero que tengas un buen día y que sólo juegues con los niños que más te gustan.»

¿Por qué algo tan sencillo hace una diferencia? Es por el modo en que trabaja la mente humana. Si alguien le dijera: «Le doy un millón de pesetas si durante dos minutos usted no piensa en un mono azul.» Usted sería incapaz de no pensar en él (inténtelo si no me cree). Si se le dice a un niño: «No te caigas del árbol», él tiene que pensar en dos cosas: «No» y «te caigas del árbol». Por haber utilizado nosotros esas palabras, él, automáticamente, tiene esa representación. Todo lo que pensamos lo repetimos de forma automática (imagine que muerde un limón y advierte cómo reacciona usted ante esa fantasía). Es más que probable que un niño que está pensando en que no debe caerse del árbol termine cayéndose. Cambiemos ese mensaje por palabras positivas: «Sujétate al árbol con mucho cuidado», «Presta atención a lo que estás haciendo».

Cada día hay docenas de oportunidades de cambiar los mensajes; en vez de decir «NO cruces la calle», es más fácil decir «*Quédate* en el semáforo junto a mí», entonces el niño tendrá que pensar en lo que TIENE que hacer, y no en lo que NO DEBE hacer.

Es preciso dar instrucciones claras a los niños sobre lo que deben hacer. Ellos ignoran muchas veces cómo mantenerse a salvo, de modo que las órdenes deben ser muy claras: «María, cógete fuerte con las dos manos a los bordes de la barca», es mucho más útil que «No se te ocurra caerte», o aún peor «¿Cómo crees que me sentiré si te ahogas?». Los cambios son pequeños, pero las diferencias son obvias.

Por supuesto que aprender esta nueva forma de hablar no se logra como por arte de magia; en muchos momentos usted deberá dar marcha atrás en sus actos. Al utilizar palabras positivas, usted estará ayudando a su hijo a pensar y actuar positivamente y contribuyendo a que se sienta capaz de enfrentarse con múltiples situaciones, porque así ellos sabrán lo QUE TIENEN QUE hacer y no estarán asustados por lo que NO DEBEN hacer.

2
Lo que los niños realmente quieren

¡Es más barato que un juego de vídeo y más sano que un helado!

LA pregunta más importante que existe en la mente de millones de padres se puede resumir en una sola palabra...

¿Por qué los niños siempre dan guerra? ¿Por qué investigan donde no deben, hacen cosas que están prohibidas, luchan, molestan, desobedecen, provocan, discuten, lo desordenan todo, y además persiguen a los padres?

¿Por qué algunos niños parecen pasarlo bien cuando se meten en dificultades?

Este capítulo explica qué sucede en el interior de los «niños traviesos» y de qué modo este «mal» comportamiento es realmente el resultado de fuerzas positivas y sanas que van por mal camino.

Después de leer este capítulo, usted será capaz de encontrar un sentido para la mala conducta de su hijo y, lo que es más importante, podrá prevenirla y modificarla, y tanto usted como su hijo se sentirán mucho más felices.

¿No me cree, verdad? Entonces, siga leyendo.

Los niños dan guerra por una sola razón: tienen *necesidades no satisfechas.* «¿Pero qué necesidades no satisfechas puede tener mi hijo?» Lo visto, lo alimento, lo mantengo limpio y calentito, le compro juguetes...»

Sin embargo, existen otras necesidades (afortunadamente muy baratas) que están por debajo de las necesidades básicas que hemos mencionado y que son esenciales para hacer que los niños sean felices y también para la vida en general. Quizá pueda aclarar esto contando una historia:

En 1945 terminó la Segunda Guerra Mundial y Europa estaba en ruinas. Entre todos los problemas que era necesario atender estaba el de cuidar de los miles de huérfanos cuyos padres habían muerto o habían sido trasladados a lugares distantes a causa de la guerra.

Los suizos, que se las habían arreglado para ser neutrales, enviaron a sus profesionales sanitarios para que se ocuparan de este problema, y a uno de ellos, que era médico, se le encargó la tarea de encontrar la mejor solución para cuidar a los bebés. Viajó por todo Europa para estudiar las diferentes formas en que se cuidaba de los huérfanos y decidir cuál era la mejor. En su recorrido encontró casos extremos: vio hospitales de campaña americanos donde los bebés dormían plácidamente en cunitas de acero inoxidable en unas salas muy higiénicas, al cuidado de uniformadas enfermeras que los alimentaban cada cuatro horas con leche maternizada.

En el otro extremo de la escala, vio como un camión se detenía en un poblado en las montañas y el conductor preguntando: «¿Pueden ustedes criar a estos niños?», dejaba al cuidado de los pobladores media docena de bebés que lloraban sin parar. Estos bebés tuvieron la oportunidad de sobrevivir gracias a la leche de cabra y a la olla popular y fueron criados por las campesinas rodeados de niños, cabras y perros.

El doctor suizo utilizó un método muy simple para establecer la comparación entre los diferentes casos; no pesó a los bebés, ni midió el nivel de coordinación, ni buscó el contacto visual o la sonrisa. En aquellos días en que abundaban la gripe y la disentería, utilizó la más simple de las estadísticas: la tasa de mortalidad.

Y lo que descubrió fue realmente sorprendente... Como las epidemias arrasaban Europa y mucha gente moría, los bebés criados en las poblaciones de las montañas se desarrollaron mucho mejor que aquellos cuidados científicamente en los hospitales.

El doctor había descubierto algo de sobra conocido por las mujeres pero que nadie había querido escuchar: los niños necesitan *amor* para vivir.

Los bebés del hospital tenían todo lo necesario menos amor y estimulación; en cambio los bebés de los poblados que, además de gozar de los cuidados básicos, eran abrazados, columpiados y tenían a su alrededor montones de cosas para ver, estaban prosperando.

Obviamente, el doctor no utilizó la palabra *amor* (este tipo de palabras perturban a los científicos) pero supo explicarse con absoluta claridad y, según dijo, lo verdaderamente importante era:

- contacto frecuente de piel a piel y con dos o tres personas especiales;

- movimientos dulces pero vigorosos, tal como llevarlo en brazos, columpiarlo sobre las rodillas, etc.;
- contacto visual, sonrisas y un entorno colorido y alegre; sonidos como cantar, hablar, parlotear, etcétera.

Fue un descubrimiento muy importante, y la primera vez que se dejó constancia de algo semejante por escrito. Los bebés necesitan afecto y contacto humano (y no simplemente alimento e higiene); sin amor no pueden sobrevivir.

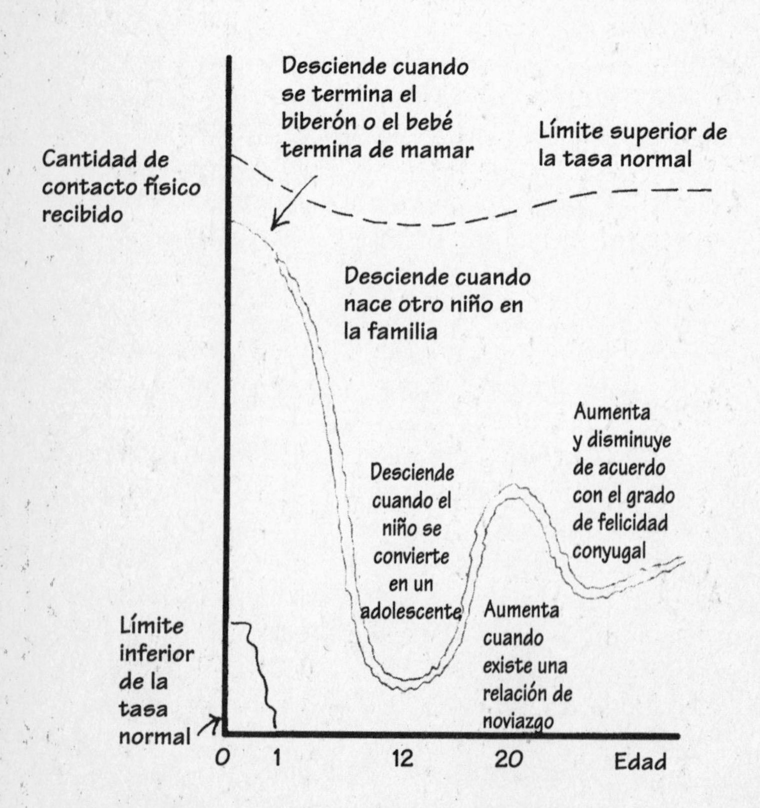

Recordemos que este gráfico refleja una media pero, realmente, nadie puede saber cuál es la situación ideal; quizá una línea justo en medio. Es posible que se estén preguntando qué es lo que pasa alrededor de los dos o tres años de edad: generalmente coincide con la llegada del segundo hijo (o el tercero o el cuarto), y es el momento en que el niño debe compartir el amor de los padres: ¡todo el mundo lo pasa mal!

A los bebés les encanta que los toquen y los abracen; también a los niños pequeños aunque éstos ya muestran sus preferencias sobre quién quieren que los abrace. Los adolescentes se sienten incómodos con estas muestras de cariño, pero admiten que les gusta ser queridos como todo el mundo, aunque, por supuesto, desean con especial interés ser amados por otros jóvenes.

Cierta vez solicité a un público de 60 adultos que cerraran los ojos y levantaran sus manos si creían que recibían menos cariño en su vida diaria del que les gustaría recibir. Fue unánime: todos levantaron su mano, a continuación se miraron unos a otros y todos se echaron a reír. Gracias a este exhaustivo estudio científico, puedo concluir que los adultos necesitamos también afecto.

Además del contacto físico, existen otras formas de recibir el afecto de las demás personas, y una de ellas, la más obvia, es la palabra.

Necesitamos ser reconocidos, que se advierta nuestra presencia y, si es posible, que nos elogien sinceramente; nos gusta ser incluidos en una conversación, que escuchen nuestras ideas y también que las admiren.

Una niña de tres años lo dice con toda claridad: «¡Eh! Mírame.»

Mucha gente rica no disfruta de su saldo en el banco a menos que pueda darlo a conocer.

Me apena muchísimo observar que la mayor parte del mundo adulto está formado por niños de tres años corriendo y gritando: «Mírame, papá», «Miren lo que hago, chicos». No es mi caso, por supuesto, yo doy conferencias y escribo libros desde el punto de vista de adultos maduros.

Así surge una película interesante. Si únicamente satisfacemos las necesidades físicas de nuestros niños, ellos aún tendrán carencias, pues tienen también necesidades psicológicas que son sim-

Por supuesto que sólo lo hace para llamar la atención.

ples pero esenciales. Un niño necesita estímulo humano, debe tener una cuota de conversación todos los días y recibir elogios para sentirse feliz; esto nos ocupará poco tiempo si se realiza amorosamente, y no de mala gana desde detrás de una tabla de planchar o de un periódico.

Muchos de ustedes tendrán hijos adolescentes o mayores y se preguntarán: «Ya han aprendido mal algunas cosas, pero ¿cómo se puede arreglar esto ahora?»

He aquí otra historia:

Acerca de ratas y de hombres

Hace algunos años, los psicólogos se vistieron con batas blancas y se pusieron a trabajar con ratas (actualmente llevan ropa deportiva y trabajan principalmente con amas de casa; ¡las cosas van mejorando!). Los «psicólogos de ratas» aprendieron muchísimo acerca del comportamiento porque podían hacer cosas con las ratas que no era posible hacer con niños. Sigan leyendo y entenderán lo que quiero decir.

En este experimento en particular, las ratas estaban en jaulas especiales con comida y agua y una pequeña palanca; las ratas comían, bebían y daban vueltas, y de vez en cuando se preguntaban lo mismo que usted y yo: «¿Para qué es esta palanca?» Al tocarla (las ratas son como los niños y les gusta tocarlo todo) se abría una pequeña ventana que dejaba ver una película proyectada sobre una pared exterior; la ventana se cerraba rápidamente y la rata debía pulsar de nuevo la palanca para seguir viendo la película.

LAS CONVERSACIONES SON UN ALIMENTO PARA EL CEREBRO DE LOS NIÑOS...

Cuando llegan a la edad escolar, algunos niños pueden hablar aceptablemente bien y tienen un vocabulario bastante amplio; otros, por el contrario, tienen muchas limitaciones verbales, y esto puede significar una desventaja real; los maestros suelen utilizar pruebas verbales como un indicador de habilidad e inteligencia, y sus hijos pueden quedar clasificados deliberada o inconscientemente como «lentos». ¿Cómo se puede enseñar a los niños a hablar bien, no como pequeños Einsteins, sino simplemente para que sean capaces de hablar en voz alta para escucharse? De la siguiente forma...

En los años cincuenta se descubrió que se podía dividir a los padres en dos grupos según la forma que tenían de hablar con sus hijos. Algunos padres hablan a sus niños abrupta y brevemente:

«Dwayne, cierra esa maldita puerta.» «Ve para allí», «Come de una vez», etc. Otros, en cambio, adoptan la postura contraria:

«Charles, cielo, ¿te importaría cerrar la puerta?» hay corriente de aire y no es bueno para Sebastián, ¡qué buen chico eres!»

No es necesario ser un profesor para darse cuenta de que el pequeño Carlos va a disponer de más palabras que Diana y encontrará más formas de combinarlas para hablar (aunque, por otro lado, Diana a lo mejor sabrá cosas que Carlos ignorará).

Cada vez hay más padres que son conscientes de la necesidad de hablar con sus hijos, explicándoles cosas o conversando con ellos por el simple placer de hacerlo; han comprendido la primera regla del lenguaje de los niños: siempre entienden más de lo que muestran.

Éstos son los pasos básicos:

1. DURANTE EL EMBARAZO cree muchos sonidos para su bebé, puede empezar por cantar o vocalizar cuando se sienta con ánimos o simplemente escuchar música (¡con el volumen alto va muy bien!). Si es usted un futuro padre, arrímese a su mujer y háblele o hable directamente con el bebé, pues así él reconocerá su voz masculina y se sentirá seguro y a usted le resultará más fácil calmarlo después de que haya nacido. La repetición y la familiaridad son de gran ayuda; se ha descubierto que el tema musical de un programa de televisión de gran audiencia en Australia *(Los días de nuestra vida)* calma a los recién nacidos que lo «han escuchado» junto a sus madres durante el embarazo.

2. CON LOS NIÑOS continúe usted conversando, cantando y escuchando música; si además los mueve o los balancea les enseñará, para su regocijo, el sentido del ritmo, que es una parte necesaria del lenguaje. (Algunas filmaciones han demostrado que todos efectuamos sutiles oscilaciones mientras hablamos, pues es imposible permanecer inmóvil cuando se habla.) Mejor aún si puede usted llevar a cuestas al bebé en una mochila o arnés.

Mientras está con los niños, dígales lo que está haciendo, utilizando palabras simples, pero sin hablar como un bebé. Repita las palabras que ellos le dicen para pulir su lenguaje.

3. CUANDO LOS NIÑOS EMPIEZAN A HABLAR UN POCO MÁS, puede usted ayudarlos haciéndoles de eco y agregando palabras a lo que acaban de decir, pues de este modo los estimulará con la respuesta y los ayudará a encontrar las palabras correctas.

«Quilla», «¿Quieres la mantequilla?» «Quiere quilla». Y un poco después:

«Pasa quilla.» «¿Quieres que te pase la mantequilla?» «Pasa mantequilla», y así sucesivamente.

El mejor modo de hacer esto es jugando, sin presionar al niño y sin tener ninguna clase de expectativa.

Un reciente programa de televisión presentó una serie de entrevistas con niños «precoces» o «de invernadero»; estos niños eran capaces de grandes logros, pero algunos de ellos se convirtieron en adultos verdaderamente excéntricos. Una de las familias se apresuró a defender la naturalidad y el equilibrio de sus hijas; las cuatro niñas, cuyas edades iban de los ocho a los dieciséis años, eran amables, tranquilas y realistas, y además extraordinariamente avanzadas para su edad. La de dieciséis años no había asistido a la EGB (ante la primera sugerencia de la maestra, los padres estuvieron encantados de que abandonara el colegio) y en la actualidad realizaba una investigación médica sobre el deterioro de las células espinales. Se les preguntó a los padres cómo habían concebido cuatro genios, y el padre respondió: «No puede ser genético, no he tenido el banco de esperma en la puerta de casa» (su aspecto era un poco ordinario). La madre, por su parte, agregó: «Simplemente les explicamos cosas...», y luego contó que mientras pasaba la aspiradora con su bebé a cuestas le explicaba lo que estaba haciendo, le decía que el ruido venía del motor que estaba dentro del aparato, que el motor era eléctrico y giraba muy deprisa, que el aire que circulaba a través de él hacía mucho ruido, etcétera.

Podemos imaginarnos su tono alegre y natural —no como si diera una «lección»— mientras les dedicaba serias conferencias con un tono de «Mira que interesante». Si en algún momento se encuentra usted en una caravana de coches o de compras con niños pequeños, quizá este tipo de conversación le ayudará pasar mejor el rato.

En nuestra familia tenemos ahora el siguiente problema: ¿cómo hacer callar a un niño de cuatro años que NO PARA DE HABLAR? ¡Pero al menos lo hace bien!

Las ratas estaban trabajando duro para pulsar la palanca y poder seguir viendo la película, y esto nos revela el *primer principio*: a las criaturas inteligentes como las ratas (y los niños) les gusta tener en qué entretenerse, pues les ayuda a que su cerebro evolucione.

Los investigadores pusieron más tarde a las ratas en una jaula diferente, que no tenía ni palanca ni ventana, y los animales estuvieron tranquilos durante un rato, pero luego comenzaron a portarse mal: mordían las paredes, luchaban entre sí, se quitaban trozos de piel y se transformaron en ratas malas. Esto nos conduce al *segundo principio*: las criaturas inteligentes, como las ratas (y los niños), hacen cualquier cosa con tal de no aburrirse, incluso cosas tontas o destructivas.

Finalmente, los investigadores se pusieron más pesados, y colocaron a las ratas en una jaula en cuya base habían atravesado varios alambres conectados a una batería, y de vez en cuando enviaban una descarga suficiente como para darles un calambre pero sin dañarlas de verdad (¡ahora entienden por qué no experimentaron con niños!).

¡Y, por fin, llegó el momento esperado! Sacaron a las ratas de las jaulas y se les dio ocasión de elegir a qué jaula volver. Quizá pueda usted adivinar en qué orden fueron elegidas las jaulas. Recordemos cuáles eran:

Jaula con comida y película.
Jaula con comida y bebida.
Jaula con comida y descargas inesperadas.

¿Ha acertado usted? Las ratas prefirieron la película en primer lugar. Si no logró adivinarlo... ¡vuelva al comienzo del libro! La segunda elección es realmente interesante: prefirieron la jaula con descargas antes que la que sólo tenía comida y bebida. Y esto nos lleva al *tercer principio*, que es verdaderamente importante para los niños: las criaturas inteligentes como las ratas (y los niños) prefieren que ocurra algo aunque sea malo a que no pase nada en absoluto.

En otras palabras, cualquier estímulo o excitación es mejor que nada, aunque sea doloroso.

Y hablando ahora de niños, si cualquiera de ellos tiene que elegir entre ser ignorado o ser regañado e incluso golpeado, ¿qué creen ustedes que elegirá? ¿Qué preferirían sus hijos? Por supuesto, que ninguna de las situaciones anteriores les resultará atractiva si reciben atención positiva una o dos veces al día.

Voy a concluir este capítulo con otra historia sobre niños. Ustedes son más inteligentes que los niños y las ratas de modo que no necesitará explicación.

Una joven y prometedora pareja tenía dos hijos de nueve y once años. Los niños tenían una habitación para jugar en el subsuelo con una mesa de billar, una nevera llena de refrescos, una cadena de música (los juegos de vídeo aún no se habían inventado y por eso no los tenían) y muchas cosas más, pero, a pesar de todo, los niños estaban siempre peleándose e incluso resultaba embarazoso tener invitados para cenar. Decidieron llevar a los niños a una consulta psicológica conductista y los psicólogos dijeron: «Nosotros nos especializamos en el comportamiento de las ratas, pero de cualquier modo nos interesaría mucho visitar su casa para ver qué es lo que está pasando.» En principio los padres pensaron que la situación iba a ser un poco extraña, pero deseaban resolver el problema que estaba atentando contra su vida social.

Los psicólogos formaron un equipo y se instalaron en la casa con sus libretas de notas y cronómetros. Una tarde los padres ofrecían un cóctel, algunos psicólogos estaban en la primera planta (con los adultos) y el resto en la planta baja con los niños (sentados en silencio y tomando notas). Alrededor de las siete, los observadores de la primera planta advirtieron que la madre miraba hacia abajo y luego rápidamente a su marido; simultáneamente, los psicólogos que estaban en la planta baja observaron que, después de haber jugado con diversos juguetes, los niños comenzaban a pelearse. La pelea era un tanto extraña, parecía una pelea teatral o una especie de danza, sin embargo, el ruido era de pelea.

Los observadores de la planta baja vieron aparecer al padre en las escaleras, y éste, intentando actuar de forma natural como se lo habían aconsejado (algo prácticamente imposible en esas circunstancias), regañó a los niños por ser destructivos.

Los psicólogos arremetieron con sus notas, pues habían visto algo único, algo que nunca habían visto en el comportamiento de las ratas: los niños escucharon cómo su padre les gritaba y parecían haber entendido el castigo, excepto por una leve y extraña mueca en la boca, una expresión que se ha hecho famosa, y que los psicólogos llaman «la sonrisa de Mona Lisa»...

Los psicólogos de niños se dan cuenta ahora de que esa sonrisa es un mensaje secreto que significa: «Debería sentirme mal, y en verdad estoy intentando sentir remordimientos, pero, sin embargo, ¡lo estoy pasando muy bien!» Los padres jamás han sospechado que los niños pensaran esto y, sin embargo, reaccionan de forma inconsciente con esa famosa frase: «Borra esa sonrisa de tu cara cuando te estoy hablando.»

Mientras tanto, en la planta baja de la casa los niños habían conseguido que su padre les prestara atención por primera vez en el día y tenían que esforzarse para que no se notara su satisfacción.

Los psicólogos volvieron al laboratorio, prepararon un informe detallado y citaron a los padres para decirles lo que ustedes ya habrán probablemente adivinado: «Están ustedes demasiado ocupados con su vida social, y los niños necesitan más atención. Ellos quieren que su padre les dedique más tiempo porque a esas edades todos los niños quieren aprender a ser hombres y han descubierto que lo único que hará aparecer a papá es pelearse.»

Los psicólogos tenían razón, pero no comprendieron muy bien a los padres. Éstos respondieron: «Esto es una tontería, ¿cómo puede gustarle a los niños que se los regañe y castigue?» Los padres no conocían el experimento de las ratas y las descargas eléctricas, y menos aún la sonrisa de la Mona Lisa.

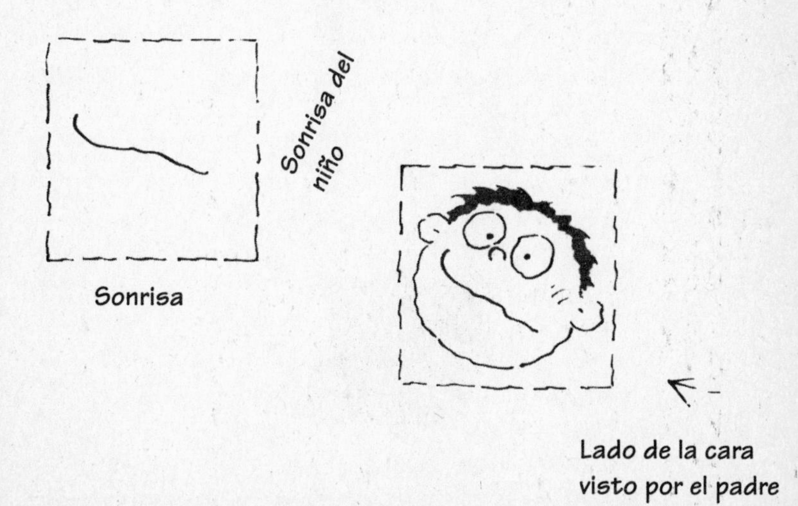

Los padres llevaron a los niños a la consulta de un psiquiatra, que analizó sus sueños durante dos años, luego abandonó este sistema y se llevó a los niños a jugar al golf con él, y esto, por supuesto, los curó. Ahora podemos resumir lo que hemos contado:

Los niños molestan cuando están aburridos

Siempre hay algo que se puede hacer para ofrecerles más estímulos: traer amiguitos a casa, llevarlo a una guardería, traer nuevos juguetes, tener un cajón lleno de objetos para que jueguen con su imaginación; de esta forma, ni usted ni los niños se sentirán «enjaulados».

Los niños molestan porque se sienten «no deseados»

¿Puede usted disponer de un poco de tiempo para o[illegible] atención positiva y contacto físico? ¿Está usted relajado o se siente lo suficientemente feliz como para transmitirles una sensación de seguridad?

Los niños molestan para hacerse notar

Observe la sonrisa de la Mona Lisa, es un signo de que se necesita atención por haber hecho algo *correcto*.

SER PADRES. HACIENDO LAS COSAS JUNTOS

Cuando nuestro hijo era pequeño vivíamos en una tranquila calle a medio kilómetro de la oficina de correos y de la tienda principal; era delicioso ir a recoger la correspondencia andando por la mañana, pues sólo se tardaba diez minutos para ir y volver, ¡a menos que llevaras contigo a un niño de dos años! Los niños de esta edad no piensan como los adultos; no conocen el significado de «objetivos a largo plazo», ni tampoco pueden «entregarse a la tarea que tienen entre manos». Todo es un pero, y cada paso en el camino debe ser insistentemente negociado: «Quiero jugar con el agua de ese charco.»

Cierta vez, abandonando mi absoluta dedicación a la ciencia, decidí rendirme y dejarlo investigar cada alcantarilla, zanja, gusano muerto, charco y piedra que encontraba a su paso. (Si las influencias tempranas determinan las carreras a seguir, Rohan será seguramente brillante en alcantarillado o saneamiento.) En fin, para abreviar la historia, tardamos dos horas y media y, para decir verdad, incluso yo llegué a disfrutar del paseo.

A través de lo que conocemos sobre las familias, es evidente que los niños, en especial los varones, aprenden un montón de cosas cuando están con su padre, ya que éste les ofrece algo diferente y complementario de lo que les da la madre; para la mayo-
estar con el padre significa «hacer cosas juntos».

No sucede como en las películas ni tampoco como en la serie de la familia *Walton*, en la que todos se reúnen para conversar de «corazón a corazón». Puede que esto suceda en los Estados Unidos, pero aquí en Australia la gente se vuelve casi catatónica si se sienta a conversar cara a cara. De todas las personas con las que he hablado, las que se llevaban bien con sus padres eran las que habían conversado con ellos mientras estaban juntando leña, arreglando el coche o encerrando las ovejas; siempre había sido una actividad encubierta en la que la confianza y el darse a conocer habían crecido muy lentamente.

Como ven, muchas de estas actividades son trabajos rurales puesto que la ciudad no nos deja mucho tiempo para hacer cosas juntos, ¡sólo se puede sacar la basura varias veces al día! Los padres que viven en la ciudad están con sus niños cuando los transportan en el coche de una a otra actividad: de la clase de ballet a atletismo, y luego a la clase de piano. Éstos son los momentos en los que se les puede preguntar cómo están y tirarles un poquito de la lengua, aunque ajustándose a lo que dure el trayecto.

Para los padres es vital conversar con sus hijos, pues favorece el acercamiento; las conversaciones calan hondo, y de pronto surgen comentarios espontáneos que permiten al padre o a la madre influir de forma positiva en la vida de sus hijos, y esto es mucho mejor que dejarlo en manos de Hollywood o de grupos de pares.

Cuando esté con sus niños:

1. NO ESPERE CONSEGUIR NADA EN PARTICULAR. El objetivo, ya no es el objetivo y muy especialmente con los más pequeños (como en el caso del paseo hasta la oficina de correos). Por ejemplo: si le está enseñando a utilizar un destornillador, usted no tendrá la puerta colocada en su lugar rápidamente, lo mejor será que lo deje investigar, ya que al cabo de un rato se irá a otro sitio y usted podrá terminar su trabajo.

2. HAGA CON LOS NIÑOS SOLAMENTE AQUELLO CON LO QUE SE SIENTA REALMENTE RELAJADO. Si su hijo le ayuda a trasplantar los semilleros de primavera, con toda seguridad, su jardín no será inmaculado. Usted debe decidir qu

es lo que quiere hacer: estar con los niños o hacer el según su propio método, ya que si intenta hacer las dos c vez terminará por sentirse frustrado. Cuando estoy escribie en el ordenador, no puedo soportar que me interrumpan, por eso nunca los dejo intervenir en esta actividad.

3. DISFRUTE DE LA PATERNIDAD, YA QUE NO DURA ETERNAMENTE. Yo tenía treinta años cuando nació mi hijo, y por eso soy consciente de que la paternidad es demasiado

corta. Si da vueltas a mi alrededor cuando estoy trabajando, valoro el estar en contacto con él y me gusta descubrir lo que puedo enseñarle, ¡pero nunca cuando estoy frente al ordenador!

En conclusión, como padre es necesario decidir momento a momento qué es lo más importante: algunas veces serán los niños, y otras no. Una enorme ventaja es que los niños nos hacen trabajar más despacio y entonces comenzamos a redescubrir pequeños placeres olvidados que es el regalo que ellos nos hacen. El tiempo que se pasa con los niños nunca es tiempo desperdiciado.

3

Cómo curar escuchando

Cómo ayudar a los niños a desenvolverse en un mundo poco amable

SU hijo está enfadado; algo le ha pasado en el colegio, con otro niño o con un adulto, y usted no sabe cómo ayudarlo. Le gustaría que él o ella encontrara una forma de solucionar el problema para ser menos vulnerable. En este capítulo hablaremos de cómo se puede ayudar a los niños.

El mundo es a veces un sitio difícil para los niños, y nosotros los padres no podemos protegerlos de todos los golpes que pueden recibir, aunque nos encantaría poder hacerlo. Y, aunque pudiéramos, no deberíamos hacerlo, ya que los niños maduran y se convierten en adultos independientes afrontando las situaciones difíciles.

Debemos estar muy atentos a lo que NO se les debe decir a los niños cuando la vida los está tratando mal, es decir, todos esos comentarios que se interpondrán como un muro entre usted y su hijo. Podrá usted entonces aprender una destacada habilidad llamada «escuchar activamente», que los padres empiezan a descubrir como la forma más positiva de ayudar a los niños a defenderse en la vida.

En muchas ocasiones, los niños hablan con sus padres de sus problemas, y ésta es su forma de pedir ayuda. El modo en que los padres respondan a ese pedido hará que se refuerce la confianza en ellos o, por el contrario, que se instale una barrera entre los padres y el hijo.

Las reacciones típicas que interponen barreras son:

Sobreproteger

«Ven aquí, cielito, déjame que te arregle esto.»

Sermonear

«Eres una idiota por haberte metido en este lío; voy a decirte lo que tienes que hacer, escúchame con atención.»

Distraer la atención

«No pasa nada, venga, vamos a jugar al cricket.»

¿Cuál es su estilo? ¿Se apresura usted a proteger, da extensos consejos o cambia de tema? Observemos más de cerca estos tres grupos:

Sobreproteger

«¿Cómo ha ido el día?»

«Mal.»

«Oh, pobrecito, ven y dime qué te ha pasado.»

«Llegó el nuevo profesor de matemáticas y no pude seguirlo.»

«Es terrible, ¿quieres que te ayude con la tarea después de la merienda?»

«No la he traído.»

«Puedo llamar al colegio mañana y hablar con el tutor.»

«Bueno, si quieres...»

«Es mejor atajar las cosas desde el principio antes de que se pongan peor, ¿no crees?»

«Bueno, si tú...»

«No quiero que esto perjudique tu educación.»

«Bien.»

Sermonear

«¿Cómo ha ido el día?»

«Mal.»

«Eres un quejica, ya me gustaría estar todo el día aprendiendo cosas y pasándomelo bien.»

«Pero vino el nuevo profesor de Matemáticas, es un estúpido...»

«No hables de tus profesores de ese modo. Si prestaras más atención todo iría mejor. ¡Quieres que te lo sirvan todo en bandeja!»

«Bahh...»

Distraer la atención

«¿Cómo ha ido el día?»

«Mal.»

«Bueno, no sería tan malo, vamos a hacernos un par de bocatas.»

«No gracias, estoy un poco preocupado con las Matemáticas.»

«Bueno, no eres Einstein, pero tampoco lo somos ni mamá ni yo.»

«Ve a ver la televisión y no te dejes hundir por tan poca cosa.»

«Vale.»

Estos tres ejemplos tiene características comunes: el padre es el que más habla, la conversación es siempre breve, el niño no llega a expresar el verdadero problema, los sentimientos del niño no afloran, el padre «resuelve» el problema (más bien cree que lo resuelve), el niño cada vez habla menos.

Ahora comparemos las respuestas anteriores con las que describo a continuación:

Escuchar activamente

«¿Cómo ha ido el día?»

«Mal.»

«Pareces disgustado, ¿qué es lo que ha ido mal?»

«Vino el nuevo profesor de Matemáticas y va demasiado rápido.»

«¿Estás preocupado porque no puedes seguirlo?»

«Sí, le he pedido que explicara un tema y me contestó que prestara más atención.»

«¿Y qué es lo que sentiste?»

«Me sentí furioso, los demás chicos se rieron pero también tienen problemas.»

«¿De modo que estás enfadado por haber sido el primero en hablar?»

«Sí, no me gusta que me pongan en evidencia delante de los demás.»

«¿Y qué piensas hacer?»

«No lo sé, supongo que preguntárselo otra vez cuando termine la clase.»

«¿Y crees que eso funcionará?»

«Sí, creo que me sentiré más tranquilo; el profesor parece bastante nervioso, tal vez por eso vaya tan deprisa.»

«¿Puedes entender su punto de vista?»

«Sí, creo que se pone un poco nervioso con nosotros.»

«Supongo que sí, no es fácil enseñar a niños tan inteligentes como vosotros.»

«¡Sí!»

Esto es escuchar activamente. En estos casos los padres, lejos de permanecer en silencio, se muestran interesados y lo demuestran confirmando los sentimientos y pensamientos de los niños ayudándoles a reflexionar sobre ellos.

Utilizando este procedimiento, los padres rara vez dan soluciones ni intentan «salvar» al niño («Llamaré al colegio»), difícilmente dan consejos («Deberías pedir ayuda») ni distraen al niño del problema («No pasa nada, vamos a hacer un par de bocatas»).

Es necesario algo de práctica para dominar la técnica de «escuchar activamente», de hecho, se enseña en unas clases denominadas «Entrenamiento de efectividad para padres» en varias ciudades de Australia. También existe un libro escrito por el doctor Thomas Gordon que explica este método (véase *Lecturas recomendadas*, pág. 177).

Muchos padres se han sentido aliviados al escuchar activamente, puesto que no se sienten obligados a resolver todos los problemas de sus hijos ni a mantenerlos constantemente felices. Al escuchar activamente enseñamos a los niños la responsabilidad y el placer de encontrar la solución por sí mismos. El tema es preguntarse: «¿A largo plazo, beneficiará a mi hijo que hoy le resuelva yo este problema?» Usted puede ofrecer su tiempo, claridad y comprensión para que el problema se convierta en una experiencia de aprendizaje.

Sin embargo, existen algunos casos en los que los padres deben intervenir como nos indica la siguiente historia:

Un amigo mío tiene un hijo de nueve años que se fracturó una pierna y tuvo que estar escayolado durante algunas semanas. Cuando le quitaron la escayola y durante algún tiempo el niño sentía sus piernas algo temblorosas e inestables. En el colegio, la profesora de gimnasia ordenó a toda la clase que corrieran alrededor del patio, y el niño, a pesar de ser un magnífico corredor, llegó el último; entonces la profesora, sin escuchar ninguna explicación, le ordenó correr solo otra vez alrededor del patio frente al resto de la clase, y esta vez sólo con su ropa interior.

Cuando el niño llegó a su casa llorando y los padres se enteraron de lo que había sucedido, llamaron inmediatamente al director del colegio para que despidiera a la profesora. Efectivamente, la profesora fue trasladada a otro colegio, con la esperanza de que no sucediera lo mismo con otro niño.

Éste es un caso en el que los padres deben intervenir y defender a sus hijos ya que ellos no tienen el suficiente poder como para hacerse respetar y defenderse por sí mismos. Algunas veces, los niños NO quieren nuestra ayuda, sólo nuestro apoyo, y en este caso intervenir sería un error...

Janie tiene ocho años. Cuando vuelve a casa en autobús nota algo extraño: el hombre que está al otro lado del pasillo tiene su pene en la mano y la mira de un modo raro. Ella se baja del autobús dos paradas antes, y cuando llega a su casa se lo cuenta a su madre que, indignada, llama al colegio para hablar con el director. Al día siguiente se convoca una asamblea en el colegio y se le pide a Janie que cuente lo que ha sucedido para que todos los niños estén enterados de lo que pasa. También se avisa a la policía para que vigile el autobús. Pero nada de esto ayuda a la pequeña Janie, que se siente cada vez peor; todo lo que deseaba era que *alguien la escuchara* y la apoyara, pero nadie le preguntó qué era lo que ella quería.

La medicina más poderosa es «simplemente escuchar». Si logramos frenar el impulso de poner tiritas en cualquier tipo de herida, tendremos la oportunidad de conocer en profundidad el mundo de nuestros niños.

Mandy, de seis años, estaba de mal humor; en efecto, llevaba varias semanas molesta, discutía con su hermano menor y no quería ir al colegio por las mañanas. Su madre decidió «escuchar activamente» para intentar conocer el motivo del problema. Llamó a Mandy y le dijo: «Estás triste, ¿quieres contarme lo que te pasa?» Mandy se sentó en su regazo pero no dijo demasiado.

Al día siguiente se peleó con su hermanito, de tal manera que tuvieron que mandarla a su habitación para que se calmara. Esa noche el padre de Mandy le dijo: «Parece que estás de mal humor».

Mandy miró a su madre y rompió a llorar. «Me llaman cara marcada», contestó la niña, llorando amargamente y completamente furiosa a la vez. Su madre se abstuvo de animarla y tampoco intentó cambiar de conversación. Mandy tenía realmente una cicatriz en la cara que desaparecería años más tarde con una cirugía plástica pero, por el momento, tenía que convivir con ella.

Cuando se deshizo de algunos de los malos sentimientos que había acumulado después de tantas burlas, se encontró mucho mejor. «No soy cara marcada, ¿verdad mami?» «No, pequeña, ¡eres un cielo!»

Algunas veces los niños esperan que usted haga algo por ellos y en ese caso deberían poder pedirlo directamente.

Jonathon, de catorce años, daba vueltas en la cocina alrededor de su madre sin decidirse a hablar. Por fin, con gran turbación, le contó que una niña algo mayor que él lo había invitado a pasar la noche en un motel. La madre, sorprendida, tuvo que hacer enormes esfuerzos para no con-

testarle de forma autoritaria y, en cambio, respondió: «¿Y qué es lo que vas a hacer? Parece como si te sintieras inseguro?» «No lo sé, ¿me prohibirías que fuera al motel? ¡Por favor!»

La madre de Jonathon estuvo encantada de prohibirle reunirse con la chica, y Jonathon sintió un gran alivio: mantuvo el tipo en el colegio y frente a la niña. La madre de Jonathon me contó que ella, de todos modos, le hubiera prohibido que fuera al motel pero quería que él mismo tomara la decisión. ¡Una mujer valiente!

4

Los niños y las emociones

¿Qué es lo que está pasando realmente?

ÉSTE es seguramente un buen momento para hacer una confesión, el título del libro, *El secreto del niño feliz*, es un poco idealista.

En el mundo de los adultos nadie está continuamente feliz, ni desearía estarlo, de modo que para nuestros niños ese objetivo también es erróneo. Si usted intenta que ellos sean felices todo el tiempo, seguramente conseguirá que tanto ellos como usted se sientan desdichados. Lo que realmente queremos son niños que puedan convivir con todos los sentimientos que despiertan las diferentes situaciones de la vida. El objetivo es la alegría, y el mejor camino para conquistarla es experimentar las emociones y sentirse a gusto con ellas.

Hasta hace poco tiempo no se llegó a una correcta comprensión de las emociones (por lo menos en nuestra cultura). Acabamos de abandonar la etapa de: «Los niños mayores no lloran», «No es propio de una niña enfadarse de ese modo», y ya es tiempo de comprender los sentimientos para saber cómo funcionan.

Afortunadamente, sabemos ahora mucho más sobre los sentimientos, y esto le ayudará a usted y a sus hijos a encontrar la paz interior y la vitalidad necesarias para gozar de una salud emocional.

¿Qué queremos decir cuando hablamos de emociones?

En su forma pura, los sentimientos son conjuntos de sensaciones corporales diferenciadas que experimentamos ante diferentes situaciones; dichas sensaciones pueden ser sutiles o extremadamente intensas y nos acompañan constantemente, fluyendo y fusionándose, mientras resolvemos las distintas circunstancias de nuestra vida. En todo momento estamos sintiendo algo, ¡las emociones son un síntoma de estar vivo!

Existen cuatro emociones básicas —*ira, miedo, tristeza* y *alegría*— que se mezclan como los colores primarios rojo, amarillo y azul. Existen miles de combinaciones posibles, como los celos, que son una mezcla de ira y miedo; o como la nostalgia, que es una combinación de tristeza y alegría. ¡En verdad somos unas criaturas muy interesantes!

Las emociones comienzan a tomar forma cuando los niños nacen. Unos padres observadores pueden ver cómo su bebé de pocos meses empieza a desarrollar expresiones diferenciadas que manifiestan cómo se está sintiendo —las lágrimas de la tristeza, el llanto del miedo, la cara roja de la ira y las risitas de júbilo.

¿Por qué experimentamos emociones?

Los niños no se inhiben, ellos *expresan* los sentimientos fácil y naturalmente, y, como resultado, las emociones negativas que experimentan duran muy poco tiempo. Sin embargo, deben *aprender* a manejar sus emociones ante la sociedad y a encontrar la forma de encauzar constructivamente la poderosa energía con que nos cargan los sentimientos. Y para ello los niños dependen de la información que les proporcionen sus padres, pero, como mostraremos a continuación, no es difícil hacerlo bien. Comprender las emociones —por qué las experimentamos, cómo se pueden expresar mejor, qué es lo que se debe evitar— le será de gran ayuda para relacionarse con los niños.

Algunas veces usted desearía no tener sentimientos, y especialmente los negativos como la ira o la tristeza, que causan dolor; la vida sería entonces mucho más fácil. ¿Por qué la naturaleza nos ha equipado con estos estados de extraordinaria carga? Cada uno de los sentimientos tiene un gran papel que desempeñar, como veremos a continuación.

Tomemos en primer lugar la ira. Imaginemos una persona que por alguna razón jamás se encoleriza; de alguna manera ha sido criada evitándole los enfados. Un buen día esta persona está en el aparcamiento del hipermercado; un coche retrocede y se detiene sobre uno de sus pies, y la persona en cuestión, que es capaz de aceptar cualquier situación, se queda simplemente esperando que el conductor del coche haga sus compras y regrese.

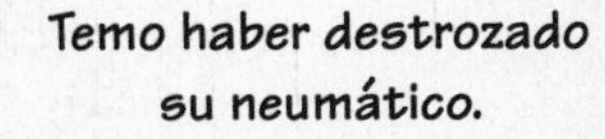

La *ira* es lo que nos permite cuidar de nosotros mismos, ¡sin ella seríamos esclavos, felpudos, ratones! (Más aún de lo que ya lo somos.) La ira es nuestro instinto de libertad y auto-conservación.

El *miedo* es también de un enorme valor. ¿Por qué siempre conducimos por el lado correcto de la carretera? El miedo nos mantiene alejados de los riesgos. Si usted no cree que el miedo sea útil, recuerde todas las veces que viajó en el coche de un conductor que parecía no tener miedo alguno. El miedo nos hace actuar con más calma, nos obliga a detenernos, a pensar y evitar el peligro, incluso cuando nuestro cerebro consciente no ha advertido aún el menor signo de riesgo.

La *tristeza* es la emoción que nos ayuda a llorar las pérdidas, literalmente nos limpia del dolor que nos ocasiona la ausencia de algo o alguien importante. Los cambios químicos que tienen lugar cuando estamos tristes ayudan a nuestro cerebro a descargar la pena y el dolor, y de este modo nos preparamos para una nueva vida. Sólo a través de la tristeza nos relajamos y podemos conocer nuevas personas y conectarnos otra vez con la vida. De modo que, si sabemos manejar correctamente los sentimientos:

La ira nos mantiene libres.
El miedo nos mantiene a salvo.
La tristeza nos mantiene en contacto con la gente y con el mundo.

Cada uno de ellos es esencial para nuestra felicidad. La alegría, la cuarta emoción, es lo que comenzamos a experimentar cuando estas necesidades se han cumplido.

Podemos enseñar a los niños específicamente cómo comprender y manejar cada una de las tres emociones que pueden ser negativas o, por el contrario, contribuir a nuestro equilibrio.

A continuación nos ocuparemos de cada una de ellas en particular.

Cómo enseñar a los niños qué es la ira:

La primera reacción que tiene un niño cuando se enfada es pegar a alguien, y esto tiene una intención natural; sin embargo, debe ser modificado de alguna manera para poder vivir en el mundo. La ira es la emoción que los padres intentan modificar con mayor frecuencia, de modo que nos ocuparemos de ella en primer lugar.

Siempre que estemos con niños, nuestro objetivo debe ser intentar enseñarles qué es lo que les servirá cuando sean adultos. Piensen por un momento: ¿Cuál es para un adulto la forma ideal de manejar la ira? Tenemos que hacer un balance. Una persona que se siente maltratada de algún modo, necesita poder decirlo con convicción, y además decirlo pronto (antes de actuar violentamente). La ira y la violencia no son la misma cosa: la violencia es la ira que va por el camino erróneo.

Un adulto aprende a moderar su ira para que ésta cause impacto sin infligir daño ni ser abusiva. Si nuestro hijo expresa muy rara vez su ira, los amigos podrán considerarlo como una persona débil e intentarán avasallarlo o utilizarlo; pero si con frecuencia tiene ataques de ira, no gozará de popularidad y hasta puede ser tachado de buscapleitos. Lo que nuestros niños necesitan aprender es a equilibrar correctamente las emociones, y esto lleva unos cuantos años de práctica que comienzan cuando el niño es un bebé.

Cómo ayudar a los niños a sentirse cómodos frente a la ira:

1. Insistirles en que utilicen palabras y no acciones para expresar la ira. Deben decir en voz alta que están enfadados y, si es posible, explicar por qué lo están.

2. Ayudarles a conectar sus sentimientos con los motivos, hablar con ellos para descubrir qué es lo que está detrás de sus rabietas; los niños más pequeños generalmente necesitan ayuda para «volver a pensar» en lo que les ha pasado.

«¿Estás enfadado con Josh porque te quitó tu camión?»
«¿Te has puesto malo de esperar a que yo terminara de hablar?»
Así, ellos serán capaces de contarle qué es lo que va mal en vez de lanzarse a reacciones impulsivas.

3. Hacerles saber que los sentimientos se pueden escuchar y aceptar (pero que no siempre cambian las cosas).

«Tienes derecho a estar enfadado conmigo, no te estaba escuchando pero ahora sí que te escucho.»

O:

«Ya sé que estás harto de estar en esta tienda, y yo también lo estoy, pero no hay más remedio que estar aquí. ¿Crees que vas a sentirte mejor molestando a tu hermano?»

4. Enseñarles directamente que pegar a alguien no es la forma adecuada para descargar la ira, y confrontar esto de forma directa, explicando las consecuencias negativas para cada ejemplo, e insistirle para que el niño haga lo que debería haber hecho en primer lugar (¡generalmente USAR PALABRAS!).

5. Ayudar a los niños a decir QUÉ es lo que quieren. Frecuentemente se quejan y protestan por lo que no quieren y necesitan su ayuda para ser más positivos...

«Me pega.»
«Dile en voz muy alta que no lo haga.»

«Myra ha cogido mi bici.»
«Ve a decirle si te la puede devolver, que es tuya y que quieres montar en ella.»

6. Enseñarles con el propio ejemplo. Los niños suelen hacer las cosas que nosotros HACEMOS, más que las que DECIMOS, de modo que se les debe mostrar el modelo que se desea enseñar. Cuando USTED esté furioso, dígalo en voz alta; enfádese y dígalo pronto, antes de estar REALMENTE a punto de estallar. Una vez que lo haya pronunciado, relájese, y ellos comprenderán que si la ira se expresa, luego desaparece. Pronuncie las palabras de forma sencilla y con frecuencia:

«¡Estoy enfadado!»
«¡Me estáis agobiando!»
«¡Dejaos ya de interrumpir!»
«¡No toquéis mis cosas!»
«Me enfada que no hayas cumplido con nuestro trato. ¿Qué está pasando?»

¡No!
¡Punch!
¡Kick!
¡Stab!
Acto masivo de autocontrol
¡Muy bien, papá!

Los niños aprenden más sobre la ira de un padre moderadamente expresivo que de uno que siempre es dulce, razonable y contenido; los niños necesitan ver que sus padres también son humanos.

Usted puede enfadarse verdaderamente con sus hijos sin abusar ni humillarlos, limítese a enseñarles la expresión directa entre los sentimientos y los motivos; ellos necesitarán un tiempo para poder manejar adecuadamente sus enfados. Alégrese si sus hijos comienzan a mostrar ALGÚN signo de control, por ejemplo, refrenarse antes de pegar a su hermanita o a usted mismo, o diciendo en voz alta: «Estoy enfadado.» Muchos adultos aún no han aprendido a hacerlo, de modo que va por buen camino.

Cómo enseñar a los niños sobre la tristeza

Siempre se ha entendido la tristeza de un modo folclórico; es decir, que es bueno llorar un poco cuando las cosas van mal. Combatir esta actitud ha sido siempre la noción victoriana de labio superior rígido, de «ser un hombre» o «ser fuerte». Actualmente, impera entre los niños la idea de que llorar mucho es un poco sospechoso, y existe un nombre especial: ser un «llorica».

A veces llorar es tan natural y tan necesario como respirar; no llorar no le hace a usted más fuerte, sino más rígido: usted tiende a vivir en el pasado, le resulta difícil conectar con el presente y se atemoriza frente a las emociones de los demás o de cualquier cosa que esté asociada con una pérdida o con la muerte. Si sabe llorar y aliviar su pena, entonces es capaz de enfrentar cualquier problema.

Durante la octava década del siglo se ha descubierto que cuando una persona llora, su cuerpo libera sustancias químicas derivadas de la endorfina que bloquean los receptores de dolor o sufrimiento y producen una anestesia curativa incluso en los momentos más angustiosos desencadenados por las pérdidas.

Estas sustancias químicas, que incluso se hallan presentes en nuestras lágrimas, están muy relacionadas con la morfina y son tan poderosas como ella.

Cómo ayudar a los niños a sentirse cómodos con la tristeza

La tristeza sigue su propio curso sin necesidad de ayuda. Todo lo que debemos hacer cuando estamos con un niño que llora es estar con él y calmarnos; algunas veces él deseará apretarse contra nosotros y que lo abracemos, otras mantenerse distante.

Se le puede dar permiso: «Oye, llorar hace bien», «Es muy triste lo que pasa con el abuelo», «Yo también estoy triste». Se le puede dar una explicación si está confundido: «Tony era un buen amigo, se merece que te sientas triste por él», «A veces es horrible llorar, ¿verdad?»

Cierta vez estábamos en casa de unos amigos viendo un vídeo llamado *Máscara*. Al terminar la película, todos nos sentíamos tristes y nuestra anfitriona estaba llorando, de pronto entró al salón su hija de tres años en pijama, se acercó a su madre y, dándole una palmada en el hombro, le dijo: «Está bien, mami, desahógate.»

Cómo ayudar a los niños a manejar el miedo

El miedo es algo necesario para todos. Es de vital importancia que los niños aprendan a detenerse ante el peligro. Nosotros deseamos saber que ellos pueden correr o saltar rápidamente para evitar ser arrollados por un coche o por una bicicleta fuera de control cuando van camino del colegio. En nuestro mundo urbano es vital que sientan temor frente a un extraño demasiado atento o a una persona que actúe de un modo sospechoso.

Pero, por otro lado, ser demasiado miedoso es una gran desventaja: los niños también necesitan poder hablar con los adultos, hablar frente a sus compañeros en el colegio, conseguir satisfacer sus necesidades y tener una vida social. Necesitan ver el mundo como un sitio básicamente seguro, y nos gusta que sean valientes e intenten probar cosas nuevas: deportes, ejercicio, creatividad, etcétera.

El miedo tiene dos objetivos: centrarnos —una serpiente que sale de un arbusto y aparece de pronto ante nosotros nos hace olvidar nuestros sueños y ser más cuidadosos— y darnos energía —¡usted correrá más rápido de lo que nunca hubiera podido imaginar!

Lo que los niños deben aprender para poder manejar el miedo se resume en una sola palabra: PENSAR. Utilizamos nuestra mente para solucionar nuestros miedos, para planificar qué es lo que necesitamos hacer. Cuando mi trabajo supuso viajar continuamente alrededor del país, cada vez que subía a un avión me sentía más desdichado: los encontraba inseguros, temía los movimientos bruscos, me horrorizaba ver cómo se doblaban las alas, etcétera, así que tuve que ponerme a pensar en que ninguna línea aérea australiana ha tenido jamás un accidente, que viajar en avión es más seguro que viajar en coche, que existen miles de aviones volando en todo el mundo, y así sucesivamente, ¡y funcionó! Éste es el modo en que hablo ahora con los niños.

Cuatro sugerencias prácticas para controlar los miedos:

1. SER MUY PRÁCTICO. Los niños de tres y cuatro años comienzan a pensar cosas sobre el mundo que los rodea y corren a contarnos muchas de sus preocupaciones; esta etapa se conoce como la etapa de los miedos. Converse con ellos y sea paciente para evaluar la intuición del niño: a menudo manifiestan reparos o rechazo frente a ciertas personas o situaciones que luego resultan fundados, aunque esto sea difícil de explicar. El miedo es como una especie de radar que le ha sido extremadamente útil a la raza humana en un pasado peligroso.

2. HABLAR DE LOS MIEDOS. Si un niño tiene un miedo real (aunque se trate de algo imposible), explíquele las pocas probabilidades de que suceda lo que él teme, pero propóngale organizar juntos un plan para llevar a cabo si se presentara el caso y así le ayudará a sentirse seguro otra vez.

3. SI EL NIÑO SIENTE UN MIEDO IRREAL, HÁGASELO SABER. ¡No busque usted monstruos debajo de su cama a menos que viva en las Islas Komodo o algo por el estilo!

4. MIEDOS FUNDAMENTALES. Si el niño tiene miedo con mucha frecuencia, utilice usted su habilidad para escucharlo y descubrir qué es lo que le está pasando, pues, con toda seguridad, a él le resulta muy difícil explicárselo.

Debido a los diferentes tipos de riesgos que acechan hoy en día a nuestros niños, especialmente en las grandes ciudades, se está desarrollando en todas las escuelas un programa llamado «Formación en comportamientos protectores» para enseñar a los niños cómo y dónde deben buscar ayuda si tienen algún problema. Lamentablemente, uno de los más frecuentes problemas con que se enfrentan los niños es el abuso sexual incluso dentro de la misma familia. «Comportamientos protectores» enseña dos reglas: «No existe nada tan malo que no se pueda contar» y «Tú tienes el derecho de sentirte seguro todo el tiempo» (¡si esto fuera verdad para todo el mundo!), y se abstiene de nombrar el problema del abuso sexual, ya que los niños que lo han sufrido lo conocen bien, y aquellos que no lo conocen no tienen necesidad de saber del tema. El programa no interroga a los niños ni los identifica individualmente, no ofrece estrategias específicas para cada niño sobre la forma de conseguir apoyo, de modo que si alguno de ellos atraviesa una situación peligrosa sabrá cómo conseguir ayuda. Las denuncias sobre abusos sexuales verificables se han incrementado después de haberse puesto en práctica este programa, pero se espera que la incidencia de abusos infantiles disminuya una vez que el programa sea más conocido, ya que los adultos correrán el riesgo real de ser descubiertos.

Un punto esencial del programa es que trata cuidadosamente de los peligros cotidianos, tal como llegar a casa y encontrar que la puerta está cerrada y que no hay nadie dentro, o montar en el autobús equivocado, etc. Es un logrado equilibrio entre algunos programas que simplemente asustan a los niños pero no les brindan información, o la alternativa: dejarlos en la ignorancia y sin ayuda. De «Comportamientos protectores» hemos aprendido a enseñar a nuestro hijo a desarrollar pensamientos de seguridad; si el programa no existe aún en el colegio de su hijo, pregunte usted el motivo de esta omisión.

En suma, los niños necesitan un poquito de miedo en sus vidas porque el miedo los protege. Ellos no deben cargar con los miedos de los adultos, ¡y es nuestro trabajo ocuparnos de que eso no suceda! Necesitan que les enseñemos a pensar en las situaciones de peligro, y un buen método es planificar cosas juntos: «¿Qué harías si...?» como respuesta a las preguntas que nos hagan, o según cuáles sean los peligros para los que usted desea prepararlo.

Rabietas, cuando los sentimientos se escapan de las manos

Todos sabemos de forma intuitiva que existe una gran diferencia entre una emoción real y otra «fabricada». Con frecuencia los niños obtienen de sus padres una reacción tan positiva cuando muestran una emoción en particular que luego tienden a repetirla cada vez que desean obtener el efecto deseado. Cada pareja de padres preferirá unas u otras emociones dependiendo de las que más se identifiquen, y de este modo los niños saben cuál es la emoción «más factible de tener éxito».

Cada sentimiento tiene un duplicado que los psicoterapeutas llaman «sentimientos-rabieta» (aunque estamos buscando una palabra que entiendan los niños).

La **ira** cuando es una trampa se llama rabieta.

La **tristeza** cuando es una trampa se llama mal humor.

El **miedo** cuando es una trampa se llama timidez.

Estas tres emociones resumen los desafíos más importantes para los padres que tengan hijos pequeños, de modo que vamos a ocuparnos de algunas cosas prácticas...

¡SUPERANDO LAS RABIETAS!

Las rabietas se aprenden de forma accidental. Un niño de dos años a menudo está aprendiendo a saber esperar, a manejar la frustración, a aceptar un no por respuesta, y la primera vez que tiene una rabieta todo eso se borra de su mente y pierde el control como nunca antes lo había hecho. A veces, esto sucede de una forma tan brusca que incluso el niño se asusta. «¿Qué fue ESO?», y se pondrá a llorar y necesitará protección para reafirmarse. A partir de este momento, el niño sabe lo que está haciendo y ya controla la situación. «Jo, estoy chillando a todo pulmón, ahora un poco de pataleo y otro poco de llanto, ¡eso es!»

¿Por qué querría alguien comportarse de ese modo? Una pequeña parte es el alivio que se siente al descargar toda la energía de una frustración acumulada, pero el motivo principal es el efecto que produce una rabieta en los adultos: se agobian, se asustan, se ponen rígidos, y la mayoría de las veces te dan lo que quieres. De esta forma, las rabietas, como trampa de la ira, no cesan de repetirse.

Esto es lo que hay que hacer:

1. TERMINE CON LAS CONCESIONES. El primer paso esencial es que usted se decida y nunca vuelva a darle a su hijo lo que le solicita después de una rabieta; no importa si lo ha hecho en el pasado (¡cualquier cosa con tal de recobrar la paz!), pero ya no lo volverá a hacer.

2. OCUPARSE DE LO PRÁCTICO. Haga lo que sea para soportar una rabieta una vez que ésta ha comenzado; algunas personas se retiran y la ignoran (lo que suena duro, pero, sin embargo, es recomendado por todos los expertos), o cogen a los niños por el cuello y los llevan hasta su habitación, o los tienen cogidos hasta que se les pasa, o les chillan en voz muy alta. Eso depende de usted y de la situación, pero lo más importante es prevenir el futuro, lo que nos lleva al próximo paso.

3. CONCLUIR CORRECTAMENTE. Una vez que ha desaparecido la rabieta, hágale saber al niño que seguramente tiene algún problema, y que expresar la cólera de ese modo no sirve para nada. Dígale que debe quedarse un rato en su habitación o en una esquina del salón, o que debe esperar que usted regrese del supermercado para hablar de lo que ha pasado —dígale que lo siente, explíquele que era lo que le estaba estorbando al principio y lo que debería haber hecho—, y quizá (si es una rabieta muy fuerte o una puesta en escena muy repetida) castíguelo de algún modo: quitándole un juguete, prohibiéndole ver la televisión durante todo el día, o lo que sea. Lo que importa es que ellos sientan que esa actitud les trae problemas y que no merece la pena repetir la función.

4. DESCÚBRALAS ANTES DE QUE SE MANIFIESTEN Y ATAQUE PRIMERO. Ahora que ha instalado la ley mar-

cial, debe aprender a prevenir nuevas rabietas. En este momento es posible anticiparse a ellas: ¿Cuál es la puesta en escena favorita de su hijo? El veinte por ciento de ellas tiene lugar en el supermercado —¡o junto a la caja registradora donde las golosinas están tan cerca!—, o en casa cuando hay invitados (en estos casos muchos padres les hablan en voz baja y les echan miradas intimidatorias que son una señal inequívoca para el niño de que ésta es su oportunidad). En cuanto comience una rabieta, domine usted verbalmente al niño, muéstrele que está furioso, hable en tono más alto y más severo; —¡no espere a estar furioso, simule que lo está! El objetivo es que a su niño ni se le ocurra mencionar aquello que pretendía obtener mediante la rabieta.

5. PLANIFICAR MEJOR LAS COSAS. Si desea usted una vida más fácil, reconozca que algunas situaciones son frustrantes para usted y para sus hijos y, por tanto, haga cuanto esté a su alcance para minimizar esas situaciones. ¿Puede usted arreglárselas para ir de compras al supermercado cuando sus niños desean acompañarla? Entrénelos llevándolos con usted cuando hace breves recados, para que se acostumbren a estar con usted cuando no les puede prestar mucha atención. Arregle las cosas de forma que, cuando no puede estar con ellos porque está ocupada o estresada, alguien pueda cuidarlos durante una o dos horas, u ocúpese de estimularlos para que se entretengan con alguna actividad.

Vamos a resumir una vez más la pesadilla más común para los padres: no consienta una rabieta; cuando comience, simplemente ignórela o contenga físicamente al niño según sea la situación. Cuando haya concluido, hágase escuchar para que el niño sea consciente de las consecuencias de una rabieta, y en el futuro anticípese a ella, enfadándose y gritando y de este modo sorprendiendo al niño en cuanto amenace con empezar a gritar; y, para finalizar, evite las circunstancias más molestas para usted y sus hijos.

Las rabietas no necesariamente deben formar parte de la vida de los niños; la mayoría lo intentará una o dos veces, pero si se trata adecuadamente la situación, esta etapa desaparecerá rápidamente.

EN EL PUFF DEL SALÓN. CÓMO DETENER EL MAL HUMOR

Es como una representación teatral con un guión preparado. Se sientan en el puff del salón, suspiran profunda y desgarradoramente, expresando su angustia, y sus caras podrían ganar un premio de la academia para efectos especiales; como padres no podemos ignorarlos, y entonces les preguntamos: «¿Qué te pasa?», y la respuesta no se hace esperar: «Nada.» Y éste es sólo el primer asalto.

El mal humor tiene como objetivo probar algo: hacer que usted se esfuerce por demostrar que está preocupado y usted lo demuestra permaneciendo junto a ellos e intentando adivinar cuál es el problema. «¿Es por la comida?», «¿Alguien te ha dicho algo?», «¿Cómo van las cosas en el colegio?», «¿No te encuentras bien?». «No, err...»

Finalmente, permiten que se les brinde algo así como un tratamiento especial, pero aun así no se sienten realmente bien; sólo se han calmado temporariamente, pero su crisis existencial sólo espera la próxima oportunidad. Usted se pregunta si está realmente preparado para ser padre o madre.

¡Ya es suficiente! El mal humor funciona únicamente cuando los padres se sienten culpables y el niño ha aprendido a explotar esa culpa. Quizá cierta vez, cuando el niño era un bebé, usted se despertó aturdido y le quitó el pañal limpio poniéndole uno sucio, o le pinchó con el alfiler del pañal y le ha provocado un trauma. Cualesquiera sean sus sentimientos, si pertenecen al pasado, por favor, olvídese de ellos, ya que su sentimiento de culpa no ayudará a sus hijos.

Si damos amor y comprensión a un niño que está malhumorado, él aprenderá una simple ecuación: el amor llega cuando uno se siente desdichado; si deseas que te cuiden, prueba a mostrarte abatido y a tener una actitud negativa, entonces todos se ocuparán de ti. El problema es que la familia no es el mundo, y que el mal humor no tiene una vida feliz.

He encontrado muchísimos niños y adultos que se expresan mediante el mal humor. (Ser terapeuta implica ser como un padre para niños de diferentes edades.) Al principio me esforzaba por complacerlos, pues creía que de este modo abandonarían esa actitud; era el «hombre bueno» (aunque interiormente me sentía cada vez más cansado y enfadado), pero ahora soy mucho más efectivo para cambiar esos modelos de conducta. Si un niño se encierra en su mal humor, le digo: «Me preocupo por ti y quisiera ayudarte. Piensa en qué es lo que deseas, y cuando lo sepas me buscas en la cocina», y lo dejo solo. Por lo general, los niños vienen a buscarme y me dicen directamente lo que les pasa, y yo me siento feliz de poder ayudarlos. Estar malhumorado es muy aburrido cuando no hay nadie delante.

He aquí cinco afirmaciones claves para una campaña antimalhumor:

1. Todos, adultos y niños, saben lo que quieren. Sólo necesitan pensar en ello hasta aclararse.

2. Los niños pueden aprender a pedir directamente lo que desean con palabras.

3. Las personas *necesitan* muy poco: comida, cobijo, aire, afecto, ejercicio.

4. Todo lo demás son *deseos,* y no siempre se obtiene lo que uno desea.

5. Si usted se siente feliz o desdichado, esto no afecta en lo más mínimo al resto del mundo; por lo tanto, trate de ser feliz.

EL MITO DE LA TIMIDEZ

¿Tiene usted un niño tímido en su familia? Después de leer esto con toda seguridad, deseará que las cosas cambien. La timidez es un mito, una trampa en la que caen los niños y de la que no saben cómo salir. La timidez puede parecer graciosa en un niño, pero es una enorme desventaja para su vida futura, ya que la gente tímida pierde oportunidades.

¿De qué modo se vuelven tímidos los niños, y cómo podemos ayudarlos a ser más sociables? Las situaciones sociales muchas veces nos superan, y sentimos un nudo en la garganta y no podemos hablar; esto también les sucede a los niños. Cierta vez vi un payaso acercarse a un niño pequeño e inclinarse ante él, presumiblemente para saludarlo, pero el niño se llevó un susto de muerte. El actor Robin Williams cuenta que había llevado a un niño de dos años a Disneylandia, y que el pequeño no estaba muy dispuesto a estrechar la mano de Mickey Mouse porque, desde su perspectiva, el viejo Mickey le parecía una RATA de ocho pies de altura.

Nuestro trabajo como padres es contribuir a que los niños superen esta etapa. Después de todo, las personas que presentamos a nuestros niños no son peligrosas ni infunden temor, de modo que no es preciso que actuemos como si lo fueran.

Éstos son los pasos:

1. ENSEÑAR A LOS NIÑOS A SER SOCIABLES. Esto es muy simple: cuando alguien habla o saluda a su hijo, explíquele lo que debería hacer:

Mirar a la persona que le ha hablado.
Decirle HOLA y añadir su nombre.

Usted puede presentarle a cualquier persona, diciéndole: «Éste es Peter (o el doctor Brown, o quien sea), salúdalo, por favor.» Y el niño lo mirará y sencillamente dirá «Hola, Peter». Esto es suficiente para niños menores de cuatro años; no deben constituirse en el centro de atención por más de uno o dos minutos, o se sentirán presionados a hacer algún numerito. Ya es un buen comienzo que aprendan a saludar y a mirar a las personas.

2. INSISTIR PARA QUE LO HAGAN. Ángela, de tres años, estaba considerada por sus padres como una niña muy tímida. Frecuentemente tenían invitados, y aunque la pequeña era muy alegre y conversadora, en esos momentos se convertía en una niña tímida, se escondía detrás de la falda de su madre y se comportaba de una forma desagradable; también en presencia de otros niños se comportaba de este modo.

Los padres de la niña hablaron con nosotros y decidieron ocuparse del problema: le dieron instrucciones precisas de mirar a la gente y responder cuando le preguntaban algo. Un día llegó una amiga que los visitaba a menudo y Ángela no quiso saludarla, entonces le pidieron que se fuera a un rincón y pensara en cómo tenía que comportarse (el «rincón» es una técnica común que muchos padres utilizan para darle la oportunidad a sus hijos de pensar en un determinado problema, una alternativa a darles un azote o a gritarles). Ángela permaneció en el rincón hecha un lío y entonces le pidieron que se marchara a su habitación (los padres se sentían tranquilos porque se trataba de una buena amiga y no de cualquier extraño que pudiera descalificar su actuación).

Al principio es difícil modificar un modelo de comportamiento. Cuando Ángela se calmó la llevaron otra vez al rincón e inmediatamente dijo: «Estoy lista» (que fuera terca no quiere decir que fuera tonta), luego se acercó tranquilamente, dijo «Hola Maggie», y se fue a jugar. Poco después se acercó a Maggie, le mostró uno de sus juguetes y se sentó a conversar con ella. El problema casi nunca volvió a repetirse, y cuando surgió nuevamente, unos pocos minutos en el rincón fueron suficientes para solucionarlo. Ángela dejó de ser una niña tímida para ser una niña sociable en cuestión de pocos días.

La única razón por la que la timidez persiste es que los adultos le dedican demasiada atención; la encuentran mona y simpática, y montan un número para ayudar al niño a abandonar la timidez, pero el resultado es que el niño recibe la mayor atención de su vida por ser simplemente franco. Esta situación ofrece un buen tema de conversación para los adultos que no encuentran ningún tema interesante para conversar.

El único momento en que los niños deberían asustarse de las personas es cuando no están con sus padres o cuando algo no va bien, como, por ejemplo, un adulto que actúa de forma extraña, que está bebido o que tiene intenciones sexuales que el niño intuye. En primer lugar, estas personas no deberían acercarse a sus hijos. Observe cuidadosamente las reacciones extremas de sus niños y descubra los motivos que hay detrás de ellas.

Ser extravertido se logra sencillamente comenzando a tratar con las personas, siendo amigable y poniéndose en marcha, luego las cosas fluyen por sí mismas. Al enseñar a su hijo a saludar y mirar a las personas, usted le ayuda a tener amigos, a disfrutar de la gente y a crecer; el niño disfrutará de una vida más exitosa en todos los sentidos: socialmente, en la escuela y en su carrera, de modo que vale la pena empezar pronto.

5

El padre enérgico

Firmeza. Hágalo: ahora

CUANDO trabajo con familias, tengo mis ojos bien abiertos en una u otra dirección. Una de mis mayores sorpresas fue descubrir que algunos de los niños más estables y felices habían sido educados por padres severos (a mi entender). El secreto parece ser que estos padres eran duros pero predecibles, tan coherentes que los niños conocían exactamente cuáles eran las reglas y sabían cómo mantenerse alejados de los problemas y, como consecuencia, rara vez eran castigados.

Lo más importante es quizá que estos niños sabían que eran amados y valorados porque sus padres se lo decían. No existía el peligro del rechazo; estos niños podían sentir miedo algunas veces, pero nunca sentirse aterrorizados ni temer que los abandonaran. En resumen: reglas estrictas más afecto positivo. Si cualquiera de ellos hubiera existido sin el otro, no estoy muy seguro de que hubiera funcionado.

En contraste con estas familias duras pero justas, he tratado muchos niños que conseguían evadirse con un mal comportamiento y aun así seguían sintiéndose desdichados. Estos niños estaban buscando a alguien que les pusiera límites, y sus padres no entendían la situación y suponían que los niños necesitaban más espacio o más libertad, cuando se trataba justamente de lo contrario.

La necesidad de poner límites es uno de los secretos que los padres deben conocer. Cuando los asistentes sociales encuentran una familia adoptiva para un niño, después de que su propio hogar se ha desintegrado, se encargan de advertir a los padres adoptivos:

«Es posible que este niño se adapte fácilmente a vuestra compañía, pero es más probable que durante los primeros tres meses os dé un poco de guerra para probar cómo respondéis y para ver si la unidad familiar es lo suficientemente fuerte como para sostenerlo. Deseará saber si vuestro matrimonio, vuestra salud mental, vuestro amor y vuestra disciplina es consistente; sólo entonces se relajará y comenzará a crecer otra vez.»

En resumen, el niño desea comprobar que su nueva familia no se quebrará como sucedió con la anterior.

El caso de la adopción, es un ejemplo extremo, pero todos los niños actúan del mismo modo: necesitan saber que alguien puede detenerlos.

A través de nuestros estudios sabemos que hay, principalmente, tres estilos de respuesta por parte de los padres: agresiva, pasiva y enérgica.

Los padres agresivos utilizan el ataque, ya sea con palabras o con actos, para calmar a sus hijos. Los padres pasivos permiten que sus niños «los maltrate» y sólo recuperan el control cuando las cosas se ponen verdaderamente tensas. Los padres enérgicos actúan de una manera muy diferente. A continuación explicaré detalladamente cómo se comportan cada uno de ellos:

El padre agresivo

Los padres agresivos se enfadan con sus niños casi todo el tiempo y, en general, su enfado no tiene que ver con el comportamiento del niño. Puede ser que no estén a gusto en su trabajo, con su matrimonio, con la raza humana o, quizá, porque son padres y no sienten el menor deseo de serlo (lo que no es culpa de los niños); el caso es que descargan sus tensiones con los niños.

Algunos niños tratan este problema de una forma realmente interesante: piensan que es ésta una forma de amar y se dicen: «Al menos se ocupa de mí lo suficiente como para gritarme, y grita tan fuerte que me debe querer mucho.» El niño puede incluso gritarle a su vez (para devolver el amor), y muy pronto ambos se estarán relacionando a través de una pelea. Familias completas pueden adoptar este estilo, que a los ojos de un desconocido puede resultar un peligroso «todo está permitido», pero que, en verdad, es una forma de intimidad que todos los participantes echarían de menos si les faltara.

Otros niños sienten que ésta es una forma destructiva de tratarlos, y se convierten en niños introvertidos y alborotados o, como hemos visto, se convierten en el trasto o la molestia que sus padres constantemente les dicen que son.

En cuanto a la obediencia, los padres agresivos no obtienen ningún resultado, basándose en el miedo, y consiguen, en cambio, desatar una rebelión: un padre tirano se enfrenta un buen día con una adolescente que devuelve los golpes y resulta abofeteado. Los padres agresivos convierten a sus niños en personas asustadizas e intimidadas o rebeldes y desafiantes, ¡o una mezcla de ambas!

El padre pasivo

¡Los padres pasivos existen a montones! Les contaré un caso extremo para ilustrar el caso de los padres pasivos.

Cierta vez entrevisté a una joven madre que se quejaba de que su hija era muy desobediente. Es ésta una queja habitual, pero hubo un par de cosas poco corrientes que llamaron mi atención. La mayoría de los padres traen a sus hijos cuando vienen a verme, de hecho muchos de ellos desearían dejármelo en la consulta, diciendo: «¡Aquí está, a ver qué puede hacer con ella!» Esta madre no había traído a su niña «para que no la molestara», y tampoco le había dicho a su marido que vendría a verme.

Me explicó, con todo detalle, la conducta de su hija, era evidente que se estaba liberando de una enorme tensión y preocupación al hablar de ello y, en verdad, era toda una experta en hacerlo, ya que pasó más de media hora antes de que yo tuviera necesidad de intervenir. Le pregunté qué era lo que hacía ella frente a la desobediencia de la niña, y me respondió que ella se ponía muy firme pero que la niña simplemente no le hacía caso. Le indiqué que la próxima vez trajera a su hija con ella.

La niña se mostró muy cooperativa y se comportó según nuestras expectativas. Apenas unos minutos después de llegar a la consulta y de estudiar la situación, se sentó y comenzó a desmantelar mi teléfono y mis cortinas. Entonces le pedí a la madre que me mostrara cómo actuaba ella para detener a la niña. Ella bajó el tono de su voz y murmuró suavemente: «Melissa, querida, ¿que te parece si dejas ya eso?»

Obviamente, no hubo ningún cambio. «Por favor, amorcito, ven aquí, sé una buena chica.»

Yo respeto a esta joven señora, se involucraba como madre y deseaba hacer lo mejor para su hija, pero, indudablemente, su idea de la firmeza no coincidía con la mía.

Me dediqué a descubrir las causas de la timidez de la niña y a enseñar a la madre a ser más enérgica: Melissa pronto dejó de tener el poder en la familia.

El buen comportamiento de los niños no es un capricho de los padres sino una forma de hacer la vida diaria más fácil. A diferencia de los padres de la época victoriana, no necesitamos una obediencia inútil, como cepillarse el pelo antes de sentarse a tomar el té o comer en orden alfabético. Sólo pedimos a los niños que cooperen para hacer la vida más fácil: «Cámbiate de ropa antes de salir a jugar», o «Deja ya de pegar a Susan.»

Por lo tanto, cuando un niño no coopera, la vida se hace un poco incómoda. Los padres indulgentes pronto descubrirán que están en una encerrona; a pesar de lo mucho que desean contenerse para no inhibir la creatividad del pequeño Damian, interiormente se sienten furiosos y cansados de tener que soportar todos los problemas que esto les causa, y finalmente intentan restaurar el orden. Esto puede suceder después de una hora de desobediencia o tras una larga semana de reiterados conflictos, pero, cualquiera sea el momento, los padres ya no consentirán que la situación continúe y, desbordados por ella, intentarán disciplinar al niño como sea, incluso criticándolo duramente y sin lograr controlar sus sentimientos.

No representa una sorpresa el hecho que los padres que lastiman de este modo a sus hijos son a menudo de esta categoría: padres tímidos que finalmente «explotan».

Si usted siente a veces que es un peligro para la integridad física de su hijo porque está a punto de «estallar», asegúrese de leer el capítulo 8 de este libro para descubrir algo más acerca de cómo cuidar de usted mismo.

Mientras escribo esto, me preocupa la posibilidad de que usted, lector, se sienta mal al reconocerse en algunos de los ejemplos que he mencionado. Si usted se relaciona con su hijo de esta forma —calmarse, calmarse, calmarse, explotar—, necesita saber un par de cosas.

- **Casi un tercio de los padres utilizan este modelo, especialmente cuando tienen niños pequeños, y están comenzando a aprender cómo ser mejores padres.**
- **No se trata de un problema grave, sino de un error en la forma de dirigir sus energías, y esto puede remediarse.**

De modo que ser un padre pasivo o agresivo no funciona, y ¿entonces qué? Finalmente (y con sonido de trompetas) anunciamos al PADRE ENÉRGICO.

Los padres enérgicos son firmes, claros, poseen determinación e interiormente están relajados y se sienten seguros de sí mismos. Sus hijos aprenden que lo que dice Mamá o Papá hay que cumplirlo, pero, al mismo tiempo, saben que no tendrán que soportar humillaciones ni malos tratos.

No es común encontrar una conducta enérgica, de modo que tal vez no disponga usted de ejemplos para imitar. Si sus padres fueron agresivos, seguramente le resultará difícil comportarse enérgicamente. Lo importante es que usted considere la conducta enérgica como una habilidad que se puede aprender y no como algo con lo que se nace. ¡Aún hay esperanza!

La primera parte de una conducta enérgica está en su interior, en sus actitudes. Observemos las siguientes escalas:

Los padres «blandos» no se valoran a sí mismos

- Soy el último de la familia.
- Debo mantener a los niños felices todo el día o soy un mal padre.
- No debo frustrar su creatividad natural.
- No soy gran cosa, pero mis hijos serán alguien algún día.
- Mi esposa cuenta, pero no tanto como los niños.
- La vida es una lucha.
- Sólo deseo que haya paz: me rindo ante los niños en favor de un poco de paz y tranquilidad. La pena es que no dura mucho.

Los padres «firmes» deciden que ellos también valen

- Soy tan importante como el resto de la familia.
- Los niños son importantes, pero tienen que adaptarse también a los demás.
- La frustración es una forma de madurar: los niños no siempre pueden hacer lo que quieren.

- **Necesito estar feliz y sano para ser un buen padre —también debo hacer cosas por mí mismo.**
- **Mi pareja y mi matrimonio son muy importantes. Los niños están en segundo lugar.**
- **La vida es un desafío pero es divertida.**
- **A veces me siento cansado, pero tengo que enseñar a los niños que soy el que manda. A largo plazo, es más fácil si ellos saben cuál es su sitio.**

La segunda parte de la conducta enérgica reside en la *acción:* lo que usted realmente hace. A continuación veremos cómo conseguir que un niño que acostumbra a desobedecer o a dar largas se comporte adecuadamente.

Tener la mente clara. No se trata de un pedido ni de una cuestión sujeta a un debate: es una orden que usted tiene el derecho de dar, y el niño se beneficiará al aprender a obedecerla.

Hacer un buen contacto. Deje lo que está haciendo, diríjase al niño y pídale que lo mire. No le dé instrucción alguna hasta que él lo mire.

Ser claro. Diga: «Quiero que tú... ahora. ¿Entiendes?» Asegúrese de obtener un «Sí» o un «No» por respuesta.

Si no responden, repetir la orden. No discuta, ni razone, ni se enfade, ni tema. Respire suave y profundamente hasta conseguir calmarse. Lo que usted señala a su hijo es lo que desea que no vuelva a repetirse y no quiere enfadarse por ello. Es éste el paso clave, y lo más importante es lo que usted *no hace*. No se involucre en ningún debate o argumento, no se acalore, simplemente repita la orden al niño.

Mantenerse cerca si existe la posibilidad de que el niño no haga lo que se le ha pedido. Cuando éste finalice con su tarea (por ejemplo, recoger sus juguetes), simplemente diga: «Muy bien», y sonría brevemente.

Esta secuencia es un *proceso de reentrenamiento.* En principio significará una enorme inversión de tiempo y usted pensará: «Más me vale recoger yo mismo los juguetes», pero el tiempo invertido se multiplicará en beneficios.

El truco es simplemente insistir. Cuando el niño descubre que usted no se va a rendir, ni va a sufrir un divertido ataque de nervios, ni se va a desviar de su propósito, entonces termina por obedecer.

Usted descubrirá un cambio en el tono de su voz y en su postura corporal que parecen decir: «Estoy hablando en serio»; es un tono completamente diferente al que utiliza para discutir, bromear, elogiar o jugar con los niños. El niño lo reconocerá como la voz que dice: «¡Hazlo ahora!» ¡Y obedecen! Es una sensación muy agradable.

Los niños y las emociones

Una vez que los niños entienden la conducta enérgica de sus padres, es divertido recordar la cantidad de veces que los padres se han complicado la vida. A modo de ejemplo, allá va el gran drama australiano de la hora de irse a la cama (¡se han cambiado los nombres para proteger a los inocentes!):

Madre	***La niña (pensando)***
«Es casi la hora de ir a dormir, Cheryl. Es mejor que empieces a recoger.»	*«Ha dicho "casi", eso significa "aún no".»*
«¿Has comenzado ya a recoger los juguetes?	*«¡Una oportunidad!»*
«Ya sabes lo cansada que estás por las mañanas, querida...»	*«Mamá está intentando hacerme razonar y eso significa que me teme. De cualquier modo, falta mucho para que llegue la mañana.»*
«Vamos, Cheryl, no querrás causar más problemas, ¿verdad?»	*«Sí.»*
«Mira, te ayudaré a guardar las muñecas.»	*«¡Bien, mamá va a jugar conmigo!»*
«Oye, guarda esos juguetes; los acabo de recoger.»	*«Me ha cogido.»*
«¿Cheryl, quieres que me enfade de verdad?»	*«Sí, es divertido.»*
«Eres una niña muy traviesa.»	*«Sí que lo soy; no sé por qué, pero me gustan estas peleas, mamá se ocupa de mí.»*

Las respuestas de la niña son sus pensamientos; si la madre los escuchara, no sería tan tolerante. Esta misma situación ocurre en muchas situaciones, y los pasos más importantes son:

- Los padres temen un conflicto; actúan de forma reticente y poco esperanzada la primera vez que «piden» la colaboración del niño.
- Utilizan razonamientos, sin advertir que los niños se aprovechan de ellos para «ganar tiempo».
- Ocupan demasiado tiempo en pelear con sus niños, mientras éstos disfrutan al sentir que dominan a los adultos.
- Los padres terminan por agobiarse y reaccionar con mayor dureza de la que desearían.

Esto es doloroso, especialmente si sucede todos los días, pero, por fortuna, hay una salida.

Una forma de enfadarse y estar relajado al mismo tiempo: ¡simular!

Una vez cuando yo tenía trece años, nuestra profesora de Ciencias abandonó el aula y nosotros apartamos nuestras botellas de agua destilada y nos dedicamos a representar *High Noon** desde detrás de los pupitres.

A pesar de que normalmente yo era un niño tímido, me dirigí a la parte delantera del laboratorio y desde allí seguí tirando objetos a mis compañeros hasta que, de repente, sus caras cambiaron y súbitamente se quedaron quietos. Detrás de mí sonó una voz que me indicó que la profesora estaba otra vez entre nosotros ¡y se la veía furiosa!

Volví a mi pupitre como por arte de magia y ni siquiera me atreví a apartar la mirada de mi libro. Cuando lo hice, vi algo gracioso: la profesora miraba a toda la clase, sonriendo de oreja a oreja; entonces comprendí que había estado

* *High Noon* es una serie de televisión australiana.

***actuando*, y que se sentía satisfecha por los resultados que había conseguido.**

Esto era algo nuevo para mí; sabía que algunos adultos se enfadaban y perdían el control, que otros se asustaban de su propia ira, de modo que ésta irrumpía de forma abrupta. Decidí que esta forma me gustaba más pero que, de cualquier modo, la próxima vez me quedaría sentado en mi pupitre.

Si usted desea ser firme con los niños, existe un libro que le será de gran utilidad: *Dare to Discipline*, escrito por James Dobson. Dobson es una persona interesante; nos cuenta que un grupo de delincuentes estaba aterrorizando a los vecinos de un barrio y que él logró derribarlos utilizando la «llave de hombros Dobson». Mantenga su carácter; si se equivoca y se pasa de «blando», puede utilizarla para equilibrarse.

Éstas son las cuatro elecciones principales de los padres para relacionarse con sus hijos. No utilice usted este gráfico para sentirse culpable, utilícelo para recordar que es usted quien elige.

Para niños algo mayores y adolescentes existe un libro muy interesante llamado *Tough Love* que les ofrece ayuda práctica además de un buen soporte para los padres (véase *Lecturas recomendadas* en la página 177).

Toda la raza humana ha estado detrás del problema de la disciplina durante los últimos 30 o 40 años, de modo que usted no está solo. Hasta este siglo, los niños no constituían un problema: las dos terceras partes morían, y los restantes no representaban gran cosa hasta que llegaban a la adolescencia y luego a la adultez. El medio para controlarlos era la violencia; eran los tiempos en que los niños de siete años trabajaban en minas sin ventilación o en fábricas durante diez horas al día. La infancia ha mejorado mucho desde entonces.

En la quinta y la sexta década del siglo llegó el gran momento de dejar que los niños fueran personas. Como en todos los nuevos movimientos, hubo excesos y los niños tuvieron que soportar la fastidiosa carga de ser el centro de la familia. No es necesario

Enérgico.

Estimula positivamente.

No se asusta ante un conflicto.

Sus pedidos y órdenes son claros y firmes.

Negocia más con los niños a medida que éstos crecen y son más capaces.

Establece reglas y lleva a cabo las consecuencias.

Utiliza la culpa, la enfermedad, etc., para que los niños se porten bien.

Los compara con otros niños, etc.

Manipulador.

Su elección.

Infravalora o humilla a los niños para que se comporten.

Les grita.

Agresivo.

Les da un azote.

Pasivo.

Se abstiene totalmente.

Satisface todas las demandas del niño.

Permite que los niños se porten mal.

Éstas son las cuatro elecciones principales de los padres para relacionarse con sus hijos. No utilice usted este gráfico para sentirse culpable, utilícelo para recordar que es usted quien elige.

decir que esto no fue positivo para ellos, pero, finalmente, las cosas están llegando a su punto medio y estamos aprendiendo a amar con dulzura y también a amar enérgicamente, y nuestros hijos comienzan a mostrarse más equilibrados.

Ésta es la historia de los padres enérgicos: comienza con la decisión de que, como padre, usted tiene derechos, y que sus niños *necesitan* ser controlados (aunque él o ella no parezcan estar de acuerdo con esto). Concluye con una vida más tranquila y más divertida para toda la familia.

SER PADRES, CÓMO APOYAR A SU PAREJA

Muchas cosas en la vida se realizan de una forma más sencilla si contamos con alguien que nos apoye, y una de ellas es educar a los niños.

No hay duda de que para tratar con niños se requiere determinación, firmeza de carácter y el propósito de ponerlos en su sitio, y nada hay más tranquilizador que contar con el apoyo de la pareja.

La mayoría de las personas se muestran tímidas a la hora de apoyar a alguien porque desean hacer las cosas a la ANTIGUA USANZA. ¿Y cuál es la ANTIGUA USANZA? Se la puede resumir en una sola oración: «Espera a que tu padre regrese a casa.» Este arreglo no resulta divertido; la madre, sola y agobiada, le carga el papel de la autoridad al padre, quien, cuando vuelve a casa deseando relajarse, tiene que lidiar con los niños haciendo de «malo», y en cuanto se marche otra vez los niños volverán al ataque contra la madre, y así sucesivamente.

El apoyo es importante, pero lo es aún más saber hacerlo correctamente. Existe una sola y simple regla: cuando usted apoya a una persona, no tiene que suplantarla.

Las relaciones son simples si las personas se tratan de forma directa, y toda vez que la comunicación es de «tercera mano» todo se vuelve confuso. He aquí un ejemplo de cómo ser directo...

> ***Peter, de trece años, está riñendo con Marjorie, su madre, porque no quiere tender la ropa; se encoleriza y comienza a hablar cada vez más alto, a maldecir y a comportarse de forma muy agresiva. El padre lo escucha y, acercándose a él, le dice: «Utiliza tu tono normal de voz y arregla esto con tu madre de una vez, ¿me oyes?» Luego vuelve a su sitio, pero se mantiene atento a ver lo que pasa: Peter soluciona el problema de la ropa.***

El principio es el siguiente: un niño que tiene un problema con su madre tiene que solucionarlo con ella. Si el padre interviene, es sólo para asegurarse de que el niño es respetuoso y soluciona el conflicto. De esta forma todo es más simple.

La necesidad de sentirse apoyado surge cuando se trata de niños o de niñas; sin embargo, a cierta edad son especialmente los niños quienes provocan situaciones para que se les pongan límites; y es práctico tener a Papá a mano para montarle el numerito. Ambos padres deben practicar un fino equilibrio entre la firmeza y la amabilidad. Usted no puede compensar la dureza o blandura de su pareja, cada uno debe ser una persona madura para el niño. Esta ANTIGUA combinación, el padre duro y la madre blanda, o viceversa, era increíblemente común hace 30 años: uno de los padres intentaba atenuar la rudeza del otro. Esto no funciona bien, ya que el niño no es capaz de considerar equilibrado a ninguno de sus padres.

Como suele suceder, usted mismo encontrará el camino más adecuado, y se enterará de que las cosas van por buen camino cuando su hijo le diga: «Eso no es justo, estáis los dos en contra de mí», pero luego no le dé más vueltas al tema.

LOS NIÑOS Y EL TRABAJO DOMÉSTICO. CÓMO ENSEÑAR A ASUMIR RESPONSABILIDADES

Vamos a hablar ahora de cómo se puede reducir hábilmente el trabajo de la casa, a la vez que preparamos a los niños para su vida adulta.

En Australia los niños lo tienen muy fácil; todavía nos sorprendemos de ver que jóvenes adultos viven aún con sus padres y éstos hacen todo el trabajo para ellos: les cocinan, les lavan la ropa, etc. Una gran parte de los jóvenes australianos no se hacen mayores hasta los 20 años (es decir, que ni siquiera se ocupan de su propia alimentación) y, en especial, los muchachos. ¡Quizá esté usted casada con uno de ellos!

Es común en todo el mundo, ya sea en Nepal, Nicaragua o Nueva Guinea, que los jóvenes asuman responsabilidades. Normalmente están protegidos por sus padres (y no descuidados como algunos acaudalados chicos del Oeste), pero se ocupan de determinadas tareas domésticas, que realizan alegremente y con evidente orgullo; hay tiempo para jugar, pero esto es accesorio. El resultado es que en otras culturas la infancia se desliza suavemente hacia la adultez. ¿Cómo es que nosotros hemos llegado a la conclusión de que la infancia es una «sala de espera» de la vida real?

¿Cómo podemos ayudar a nuestros hijos a prepararse para ser autosuficientes cuando sean adultos? Una forma obvia es darles trabajo. Se puede comenzar muy pronto, desde los 18 meses a los dos años, con pequeñas tareas diarias que nadie más que él o ella realizarán.

Las tareas se aumentan mes a mes, y se debe elegir trabajos fáciles y regulares, algunas de cuidado personal y otras que contribuyan al bienestar de toda la familia. Por ejemplo, a los tres años pueden poner la mesa y llevar su plato sucio hasta el fregadero. A medida que crezcan no le será difícil encontrar nuevas tareas que ellos sean capaces de realizar. Recuérdele las tareas, observe si las lleva a cabo y, cuando pase un tiempo, espere que él mismo se acuerde de sus obligaciones. Elógielo y siéntase orgulloso de su colaboración, pero no exagere, pues lo que el niño hace es lo esperado.

En estos días se habla mucho de la autoestima y de la importancia de alabar y valorar a los niños por sus esfuerzos, pero es aún más importante recordar que la verdadera autoestima deriva de la colaboración. Si desconocen cuál es su lugar y siempre reciben ayuda, los niños pueden llegar a tener una autoimagen de «Joven Talento», una idea inflada de sí mismos que el mundo exterior, el que existe más allá de unos padres sobreprotectores, se encargará de desinflar.

Este acercamiento gradual facilita las etapas posteriores. Los adolescentes que han colaborado desde temprana edad no manifiestan la misma resistencia a trabajar para sí mismos, lo entienden como una simple rutina. Usted está ocupándose de que una persona joven, digamos alrededor de los 18 años, esté capacitada para colaborar con el trabajo doméstico a la par que sus padres: cocinando al menos una vez por semana, y siendo responsable de otras ocupaciones familiares. Si sus hijos deben compartir tareas, ofrézcales aquellas que les agraden, pero también otras que no

sean muy placenteras. De este modo usted les enseña a ser realistas, como sucede en el mundo de los adultos.

¿Y qué pasa con los estudios? Durante las épocas de exámenes será necesario hacer algunos ajustes, pero, en general, el trabajo y el estudio son sus ocupaciones diarias, y los exámenes no deberían representar un obstáculo para colaborar en casa.

Recuerde que está usted educándolos para que sean competentes en todas las áreas básicas de la vida: cocinar, limpiar, recoger, hacer la colada, cuidar a los animales domésticos, administrar su paga, distribuir el tiempo y saber qué es el trabajo en equipo y cómo son las negociaciones. Cuando estos jóvenes abandonen el hogar familiar, estarán bien preparados para cuidar de sí mismos y, posiblemente, ¡se marcharán pronto para dejar de trabajar!

6
Perfil familiar
¿Papá? ¿Quién es papá?

¿QUÉ es lo que piensa cuando escucha la palabra «familia»? La gente mayor evocaría unas 30 o 40 personas entre tíos, tías, primos, etc., parientes que acostumbraban vivir en el mismo distrito y se reunían varias veces al año, e incluso todos los domingos para comer juntos.

Actualmente ya casi no tenemos familia; no hemos tenido una familia real desde que se inventó el coche y comenzamos a dispersarnos. Una pareja, dos niños y un perro ovejero alemán es sólo una parte de la familia, y por eso no acaba de funcionar bien.

Y, además, incluso este modelo está cambiando. La familia *media* australiana está compuesta por un solo padre, o por una familia combinada por el padre real del niño y una nueva madre (o al revés), posiblemente con sus propios hijos. Esta situación no es necesariamente mala, pero ha modificado mucho la vida.

¿De qué forma afecta esto a sus niños? Hemos descubierto que el perfil familiar es muy importante, y que ese perfil se puede cambiar para que la familia sea un buen lugar para vivir.

¡De modo que siga usted leyendo!

Éste es el plan de Steve Biddulph para la política gubernamental a seguir en relación con la familia.

Veamos un ejemplo:

Algunas personas creen que todos los males sociales se deben a la crisis de la familia:

«¿Dónde vas, Merv?»
«A las revueltas del fútbol, mamá.»
«Bien, no regreses tarde a casa.»

Las hermanas de la abuela: Jean y Doreen (Roy, el marido de Jean, fallecido)
Abuela (tuvo 9 hijo
3 murieron en el parto o durante la infancia)
Mavis nunca se casó
Doreen contrajo matrimonio con Arthur
Walter, asesinado en la Primera Guerra Mundial
Branston permane
casa de sus padre
Niños: Neville, Jenny, Jeffrey, Albert

Abuelo (ayudó)
El hermano del abuelo: Cheswick (su esposa Enid fallecida)
Enid se casó con Len (muerto en la Primera Guerra Mundial)
Wilfred contrajo matrimonio con Naomi
Niños: Angus
Niños: Sophie, Emma, Faith, Hope, Desmond

Superficialmente, podríamos decir que esto es real, pero ¿qué es lo que ha causado la crisis de la familia? ¿Han visto ustedes alguna vez dónde crecen los *hooligans*? ¿O las condiciones de vida en el Ulster o en Soweto?

El nivel de ingresos es muy importante, nadie puede criar niños felices bajo ciertos niveles económicos, aunque, por encima de cierto nivel, las necesidades son más humanas que materiales. La educación, el desarrollo de la comunidad, la capacidad para pertenecer a un grupo y compartir un trabajo con otras personas, son algunas de las necesidades fundamentales para una vida familiar sana.

Esto, hablando de dinero, resulta muy barato. Un amigo mío organiza grupos de autoayuda para todos aquellos que atraviesan una crisis. Si consigue que dos personas por año no requieran ser ingresadas en un hospital, se paga su propio salario. Pero, a decir verdad, consigue resultados mucho más importantes.

Durante miles de años la gente vivía en pueblos o ciudades pequeñas, pero cuando las ciudades modernas comenzaron a aparecer hace unos 200 años, la gente eligió vivir en el mismo barrio que el resto de sus familiares, y la unidad familiar se parecía mucho a la siguiente ilustración:

Como vemos, se trata de un buen grupo de personas, y a pesar de que los tiempos eran duros —la gente se moría en la guerra y morían más niños—, esta amplia unidad familiar constituía un soporte seguro. Por ejemplo:

Mavis (que permaneció soltera) ama a los niños, y muchas veces cuida a la pequeña Jenny, y esto es bueno para Doreen con sus tres varones; Doreen se enferma con frecuencia y Mavis cocina y le ayuda con las tareas de la casa dos veces a la semana.

El marido de Ester, Len, murió en la guerra. Angus nació en 1920, y esto podría haber traído algunos problemas, considerando que la guerra terminó en 1918, pero como Enid se mudó a casa de Wilf y Naomi, nadie fuera de la familia tuvo ocasión de enterarse de nada.

El abuelo está un poco ido y sigue despertándose creyendo que se acercan los Boers, pero, afortunadamente, Branston, el hijo menor que no se ha marchado de casa, cuida de la granja.

A Wilfred no le gustan los niños y pasa casi todo el día fuera de casa, y Arthur, que adora a los niños, es quien los lleva a pescar, a jugar al cricket y demás —y los niños no echan de menos a su padre.

Las 24 personas de esta hipotética familia no viven juntos actualmente (tienen seis casas familiares entre todos), pero sería muy raro que no se reunieran ni se comunicaran durante una semana. La unidad familiar fue capaz de afrontar guerras, enfermedades, muertes, el «Escocés volador» de Enid y varios defectos y manías y cada miembro tenía garantizado un sitio donde estar y un poco de seguridad.

Eran tiempos difíciles, pero había menos incertidumbre. Para los padres, esto significaba ventajas definitivas. Lo correcto era lo correcto, y lo erróneo, erróneo; si un padre no era todo lo que sus hijos necesitaban, otros ocupaban su lugar; nunca se sentían solos, pues siempre había alguien dispuesto a dar un consejo o ayudar. Se aprendía mucho cuidando hijos ajenos o hermanos más pequeños antes de fundar la propia familia. Incluso se podía decidir no tener hijos y, sin embargo, no sentirse demasiado solo.

También es cierto que existían muchas restricciones y pedidos, y, seguramente, no muchos de nosotros desearíamos pertenecer a una de esas familias numerosas. Pero ¿qué hay de todas las cosas buenas que representaba para los padres? ¿Podremos gozar de ellas otra vez? Yo creo que sí, y les diré por qué.

No es necesario que esté emparentado, ¡sólo comprometido!

Tomemos el caso de la más solitaria de las familias modernas: un padre o una madre sin pareja con uno o dos niños. (Algunos dirán que existe aún otra combinación más solitaria: una familia que no es feliz, la razón por la que muchas personas deciden volver a vivir solas. (Y es justo.)

¿Qué es lo que falta?

Es posible que los abuelos no vivan en el mismo barrio: en la actualidad nos trasladamos con frecuencia de un lugar a otro.

Es posible que no haya otros adultos que se interesen por los niños —tíos y tías.

Es probable que no exista una figura de padre con quien jugar y con quien aprender la disciplina y la determinación (si se trata de una madre soltera).

Las compañeras del trabajo.
El adolescente que siega el césped.
Esta jovencita que has visto tantas veces y sus niños.
Ese tío tan simpático que has conocido en una barbacoa y sus niños, el muchacho que lleva a los niños al cricket, la anciana, los vecinos de al lado.

«¡La familia numerosa australiana del futuro!»

Es posible que no exista una mujer que se encargue de las «cosas de las chicas», que vaya al colegio a hablar con el tutor o con quien compartir la disciplina y la autodeterminación (si es usted un padre soltero).

Es posible que no haya otros niños para jugar con sus hijos o que no existan lugares seguros fuera de la casa para que los niños salgan a jugar.

Cuando suceden cosas importantes no hay nadie fiable con quien hablar de ellas ni nadie que pueda ayudar materialmente, sólo porque usted es «una familia».

Pero el hecho de que todas estas cosas no estén a su alcance no quiere decir que no se las pueda encontrar. Por ejemplo, la gente mayor generalmente quiere a los niños, y es probable que exista alguien cerca de casa que pueda formar parte de la familia. (Usted les pinta el techo, y ellos cuidan a sus hijos.)

Además, hay otros padres sin pareja, o con pareja, que también se sienten solos. ¿Usted cree que la gente va realmente a las fiestas de Tupperware a comprar recipientes? Van por hacer algo y para hablar con alguien. Hay otros padres que están deseando hablar con usted.

También puede solicitar información acerca de los grupos que se han formado en su comunidad. Los grupos de juego son como estar en la casa de la abuela el domingo por la tarde, los niños pueden jugar y los padres reunirse y hablar. Los cursillos que ofrecen diversos centros de educación para adultos son también un buen lugar de encuentro. Las escuelas, las guarderías, los centros de salud, las clínicas, la peluquería, los clubes de deporte, las iglesias, elija la que se adapte mejor a su estilo.

Es un trabajo duro, y si usted se cambia de casa tendrá que empezar todo el trabajo de nuevo pero, de cualquier modo, usted puede conseguir una familia numerosa y, si no lo hace por usted mismo, hágalo por sus hijos.

Hay aún otra aspecto del perfil familiar que es muy importante, aun cuando su familia se componga de dos adultos y dos niños.

Cuando ustedes comenzaron su relación de pareja todo era muy sencillo y divertido.

Más tarde, cuando llegaron los niños, la cosa se empezó a complicar. Muchas familias se sienten atrapadas en uno de los siguientes modelos:

Probablemente hayan sido tres en casa durante algún tiempo, y con la llegada de más niños, las combinaciones son aún más complicadas:

Todas éstas son periódicamente alineaciones naturales para la familia, pero no es bueno que se conviertan en el perfil normal de su familia.

Hemos descubierto, a través de los cientos de familias que buscan ayuda, que *la proximidad entre los padres es muy importante.* Los chicos se crían más sanos y felices cuando los padres son afectuosos y se interesan el uno por el otro, hasta tal punto que los niños no podrían interponerse entre ellos aunque lo intentaran (¡y lo hacen!).

Un experto se hizo famoso por decir que la mejor educación sexual era que Papá le diera un pellizco a Mamá cuando pasa a su lado en la cocina, y ¡que Mamá disfrutara con ello! El resto son puras pamplinas. En pro de la igualdad sexual, creo que sería igualmente bueno si sucediera al revés (que Mamá pellizcara a Papá).

Los niños parecen ganar seguridad como consecuencia de que los padres pasen tiempo juntos y no permitan que se los interrumpa. Si ustedes no acostumbran a hacerlo (es decir, que los niños siempre están en primer lugar aunque usted esté hablando con su pareja), entonces descubrirán que le llevará poco tiempo cambiar ese modelo.

Los problemas parecen surgir cuando:

con frecuencia un padre se pone del lado del hijo en contra de su pareja;

un padre espera afecto y aprobación del niño antes que de su pareja;

un niño es forzado a desempeñar el papel de padre a menudo, por ejemplo, quedándose a cargo de sus hermanitos o formando parte de decisiones que corresponden a un adulto.

Cierta vez me enfurecí al escuchar que una madre con buenas intenciones le decía a su hijo de nueve años, cuyo padre acababa de morir, que en adelante debería comportarse como un hombre y cuidar de ella. ¡Los niños sólo deben ser niños!

Todas las personas son diferentes y ningún consejo es completamente acertado. Todo lo que puedo hacer es ofrecerles las reglas generales que hemos encontrado, y que quizá *se puedan* aplicar a su familia.

- En una familia con un solo padre, los niños están más contentos cuando el padre o la madre tiene una relación afectiva con otro adulto. No importa si el otro adulto es su padre natural o no lo es, ni tampoco si es del sexo contrario o del mismo sexo que su padre, lo importante es que su padre se sienta a gusto con esa persona.
- Cuando los padres tienen una mala relación y los conflictos son diarios (no esos conflictos normales que toda pareja atraviesa de vez en cuando), los niños sufren enormemente. Es imposible ocultar a los niños el conflicto, todos los intentos son vanos. Y, de hecho, es mejor que los niños presencien directamente las diferencias y se den cuenta de que no hay que culpar a nadie ni sufrir por ello —siempre que los padres no actúen violenta ni cruelmente, ni se humillen mutuamente.
- Un niño es más feliz con un solo padre que con una pareja de padres desdichados.

NO MOLESTAR
«Están haciendo el amor.»
NO MOLESTAR
¡Oohhh, aah, ooh!
¡Es como la lucha libre!

Recientemente un matrimonio se presentó en el Juzgado Familiar para solicitar el divorcio. El hombre tenía 91 años y la mujer 86.

El juez les preguntó por qué habían tomado esa decisión después de tantos años de convivencia, y ellos respondieron: «No podemos soportarnos.» El juez, completamente asombrado, les preguntó:

«¿Por qué han permanecido juntos todos estos años?»

Y la pareja respondió: «Estábamos esperando que murieran los niños.»

¿Y QUÉ PASA SI ES USTED UNA MADRE SOLTERA?

Ser un padre sin pareja tiene sus ventajas y sus dificultades. La ventaja es que no hay que aguantar discusiones sobre diferentes puntos de vista ni soportar conflictos de pareja, etc. ¡Usted es el jefe! Las madres separadas han comentado a menudo que su vida es más suave, por ejemplo, ya no sufren el síndrome de la hora punta a las seis de la tarde cuando un marido, cansado y hambriento, llegaba del trabajo y los niños no dejaban de pedir cosas y de interrumpir. Pero, por otro lado, existen muchas cosas, como la disciplina, que son difíciles de realizar a solas.

Veamos:

A veces, cuando los niños están creciendo, es necesario «presionarlos» insistentemente para lograr mantenerlos en línea, pero aunque sepamos que es por su propio bien y por el nuestro, resulta agotador. Para las madres que están solas resulta difícil relacionarse con los hijos varones a ciertas edades. Algunos chicos parecen tener una necesidad biológica de experimentar un fuerte conflicto y se los debe controlar frecuentemente y con firmeza con el fin de ayudarlos a atemperar su agresividad y su rebeldía para que puedan relacionarse con las demás personas. Dicho simplemente, sólo buscan pelea, y sólo se relajan o abandonan esa actitud cuando usted entra en su juego. En estos casos, un padre resulta muy práctico.

Parece que ser padre o ser madre son dos formas diferentes de relacionarse, y los niños necesitan ambas para crecer sanos. Si es necesario, una madre puede actuar como un padre, y un padre como una madre, pero la lección feminista de nuestros tiempos es bastante clara: el hombre y la mujer no *son* tan diferentes, una mujer *puede* hacer lo que hace un hombre, y viceversa (con algunas lógicas excepciones biológicas). La diferencia es que para un padre siempre es más fácil, no se le hace tan cuesta arriba, ser duro con sus hijos.

Una madre que vive sola puede armarse de valor para ser dura, pero le supone un gran gasto de energía, puesto que se inspira en la agresividad masculina, pero no le resulta fácil disponer de ella. Una madre sin pareja deberá practicar y adquirir esa dureza sin perder su habilidad para hacer las paces y conmoverse.

Muchos padres sin pareja nos han dicho que el hecho de conocer estas dificultades hace que se desmistifiquen algunas situaciones y no resulten tan abrumadoras —ellos aprenden simplemente a «cambiar de marcha».

TIEMPO PARA LA PAREJA. LOS 10 MINUTOS QUE PUEDEN SALVAR SU MATRIMONIO

¿Desearía usted convertir el peor momento del día en el mejor?

¿Desearía tener romance, calidez, amistad y relajación para siempre? No podemos ofrecerle mejor inicio para conseguir sus objetivos que el siguiente ritual; si lo realiza diariamente o cuando lo necesite, puede lograr que las tardes sean tranquilas, y que su matrimonio continúe siendo feliz. ¡No estoy bromeando!

Cuando usted o su pareja llegan a su casa por la tarde, seguramente tendrán por hábito posponer la hora de la relajación hasta terminar con la comida, las tareas domésticas, los niños, etc. Esto puede funcionar bien cuando los niños son pequeños y se acuestan pronto, pero, a medida que crecen, ustedes deben esperar mucho más tiempo para estar juntos. Antiguamente los matrimonios estaban juntos casi todo el tiempo y llevaban el mismo ritmo.

Hoy en día, las diferentes jornadas laborales de los padres suponen que al llegar a casa ambos estén girando como peonzas a distinta velocidad, y de este modo es difícil sentirse conectados. Muchas parejas logran sincronizar a última hora de la tarde, y finalmente tiene un buen encuentro durante la noche, ¡siempre que tengan motivaciones y energía!

Por lo tanto, necesitamos saber que PODEMOS sincronizar, y ésta es la forma de conseguirlo:

1. ¡ENCONTRARSE! En cuanto lleguen a casa, encuentren un momento para sentarse juntos, y mientras lo hacen...

2. ¡COMER! Dispongan de algún aperitivo —salami, nueces, queso, fruta, tarta, o cualquier otra cosa para saciar el hambre y darle energía al cuerpo. El próximo paso es...

3. LOS NIÑOS APARTE. Los niños, que se apuntan a toda hora y generalmente solicitan atención a la hora de la merienda, no deben interrumpir. Si es posible que puedan estarse quietecitos en el salón, bien; en caso contrario, pídales que salgan de la habitación. Ya llegará su turno; por tanto, sea usted firme en este momento, sólo son 10 minutos.

4. BEBER. Si usted bebe alcohol, hágalo en este momento. Un vino o una cerveza con el aperitivo le ayudarán a olvidarse de las tensiones acumuladas durante el día y el cuerpo sabrá que es la hora de relajarse.

5. HABLAR. Sólo si desea hacerlo, pero, si lo hace, que sea de cosas bonitas; abandone absolutamente las competencias que a menudo surgen en las parejas, por ejemplo: ¿Quién ha tenido el peor día? Hable de cosas positivas o simplemente permanezca sentado y disfrute.

Muy pronto estará usted dispuesto a dedicarse a las tareas de la tarde. Guisará usted una comida más agradable, ya que no estará desesperada de hambre y pasará un rato con los niños si es usted quien ha estado fuera todo el día. Encontrará que todo fluye más suavemente, puesto que su ritmo —incluso los latidos de su corazón— está más sincronizado con el de su pareja.

Este ritual diario es muy simple, pero sus efectos son muy profundos: salva matrimonios. ¡Inténtelo!

7

Edades y etapas

¿Quiere usted decir que esto es normal?

LOS niños cambian mientras crecen, y lo que puede ser correcto para un niño de tres años puede ser erróneo para uno de siete, y muy diferente de lo que usted le diría a un adolescente. Conocer un poco sobre las etapas por las que atraviesa un niño le ayudará a saber qué es lo que debería suceder en una determinada edad y cuál es la mejor forma de reaccionar.

Las etapas que explicamos aquí las hemos adaptado de un libro escrito por Jean Illsley-Clarke y se llama *Self Esteem: A Family Affair* (véase *Lecturas recomendadas* en la pág. 177). He conversado con miles de padres sobre ellas y la respuesta más frecuente ha sido siempre: «¡Es exactamente así!» y, algunas veces: «Si lo hubiéramos sabido entonces!»

Las etapas de desarrollo del niño

0-6 meses: **¿Puedo confiar en esta gente?**
6-18 meses: **¡Explorar!**
18 meses-3 años: **Aprendiendo a pensar.**
3-6 años: **Otras personas.**
6-12 años: **¡Lo hice a mi modo!**
12-18 años: **Preparándose para marcharse de casa.**

Vamos a verlas más detalladamente:

El bebé humano llega a la vida como si fuera un ser de otro planeta, sus primeros sentimientos y emociones son un poco imprecisos, pero son muy importantes:

«¿Estoy seguro?»
«¿Quién me va alimentar?»
«Qué ha pasado con mi cama de agua?»
«Esa gente parece simpática. ¿Cómo puedo hacer para que se queden conmigo?»
«¿Qué es esto que estoy sintiendo?»

¿Puedo confiar en estas personas? 0-6 meses

No tiene sentido criticar al bebé, ni exigirle cosas, pues él está simplemente incorporando todo lo que oye y ve; necesita que usted adivine sus necesidades (para cambiarle el pañal, alimentarlo, hacerlo eructar, abrazarlo con amor, llevarlo en brazos), ya que él no puede aún decir qué es lo que quiere.

Es importante que usted no lo ignore cuando llora porque es su forma de pedir ayuda, y si se siente ignorado durante mucho tiempo se mostrará pasivo y deprimido. Es igualmente importante dejarlo que *comience* a llorar para que aprenda que él puede hacer *algo* para satisfacer sus necesidades, y que por medio de su llanto conseguirá ayuda. Un niño que es alimentado *antes* de sentir hambre puede tener problemas en su vida futura por no saber qué es lo que quiere.

Los niños son más felices y más listos cuando los masajeamos, los abrazamos, hacemos ruidos y sonidos para ellos, los miramos a la cara y sonreímos, y todo esto también les ayuda a dormir, comer y aprender con más facilidad. Está comprobado que el masaje cura con extraordinaria rapidez los constipados de los niños. (¡Que quede claro!)

Observemos cómo en las culturas más sabias los niños son transportados en mochilas o atados al cuerpo. Existe una tradición balinesa que tiene lugar cuando el bebé tiene seis meses, y es «la primera vez que el niño es puesto en tierra»; hasta entonces siempre ha estado en los brazos de alguien. Podemos considerar que es una costumbre un poco incómoda pero creo que vale la pena pensar en ella.

Ésta es la época en la que el bebé comienza a educarse a sí mismo, sin cargo alguno para usted. Se mueve dentro del amplio y hermoso mundo, saboreando, empujando, cargando, tirando, comiendo y cogiendo todo lo que está a su alcance.

Usted puede ahorrar muchísima energía creando una zona *a prueba de niños* en su casa, para no tener que estar diciendo todo el tiempo NO. Coloque la cadena musical en algún sitio elevado, posponga sus planes de empapelar la habitación, y el niño estará libre para deambular en paz (la suya).

La etapa de exploración no funciona bien

A mitad de la séptima década yo era un psicólogo bastante poco experimentado que sabía más de ratas que de niños.

Comencé a trabajar en orientación escolar y, de acuerdo con mis superiores, mi papel era ver a aquellos niños cuyos maestros pensaban que eran estúpidos. Debía ponerles unas pruebas bastante singulares y luego comunicar a los maestros *cuán* estúpido era ese niño; se suponía que este método era de gran ayuda.

No culpo a mis superiores por haberme otorgado este papel, pero ser responsable del bienestar psicológico de 3.000 niños distribuidos en nueve colegios era una tarea desalentadora, y las pruebas eran lo único concreto que debía hacer.

Decidí que había cosas más útiles que las pruebas de CI (Cociente Intelectual), y entonces recluté a las madres y les enseñé la forma de ayudar a los niños que se habían quedado atrás con la lectura, di conferencias sobre autoestima a los maestros, escuché pacientemente a padres preocupados. Un día fui a la casa de un niño que tenía problemas de conducta en el colegio para hablar con su madre. Vivían en una casa de campo que estaba un poco abandonada.

Me quité la corbata antes de entrar, la madre parecía vieja y cansada, y la conversación resultó incómoda. Desde el linóleo lleno de polvo de la cocina, un pequeñito nos miraba con sus ojitos apagados. No había ni un solo juguete a la vista, y el niño a cada rato abría un armario y sacaba todos los utensilios. La madre se levantaba, le daba una buena reprimenda, cerraba con fuerza el armario y continuaba hablando.

Mientras conducía de regreso a casa me sentía impotente y enfadado. La idea que tenía esa mujer de un buen bebé era que se mantuviera quieto y callado. Sin juguetes ni estímulos para jugar, sin mirar libros de cuentos o escuchar historias, ese niño también estaría en la lista del Psicólogo Escolar dentro de algunos años diagnosticado como «sospecha de deficiencia mental».

¡Explorar el mundo!: 6-18 meses

No se debe esperar de los niños de esta edad realicen determinadas acciones para las que no están preparados, como, por ejemplo, ser listos, sentarse correctamente o avisar cuando quieren hacer caca (los músculos del esfínter que controlan sus necesidades aún no están preparados para el control total).

Los niños pueden llegar a agotarnos físicamente, por eso ésta es una buena edad para que usted comience a dedicarse unas pocas horas para descansar ¡y también explorar!

Aprendiendo a pensar: 18 meses-3 años

Ahora es cuando el niño comienza a razonar y es un buen momento para darle explicaciones simples: «El gato se asusta cuando lo aprietas. Te enseñaré a cogerlo suavemente.»

El niño aprende a enfadarse y a decir: «No quiero», «No me importa», y por eso mucha gente llama a esta etapa «los terribles dos años».

En este momento los padres deben establecer muy bien los límites, y aunque los niños les pondrán pruebas, ellos deben mantenerse firmes... y firmes... y más firmes aún.

Reflexione sobre lo que es realmente importante y lo que no lo es. Algunas veces los niños quieren ser independientes y luego se vuelven muy dependientes otra vez, especialmente si un nuevo niño aparece en escena; esto es natural, y el niño pronto «crecerá» otra vez si se cubren sus necesidades.

Ésta es la edad en que los niños dejan de jugar junto a otro niño para jugar CON él, y es de gran ayuda tener otros niños con quienes aprender. También es la época de las preguntas interminables: ¿Cuándo?, ¿Dónde?, ¿Cómo?, ¿Por qué?, ¿y qué pasa si..?, ¿por qué no? y ¿por qué otra vez?

Cuando no paren de hablar, recuerde que es el tiempo del desarrollo del lenguaje, y piense en el dinero que se está ahorrando en futuras clases particulares y colegios caros.

Otras personas: 3-6 años

No es una buena idea molestar o ridiculizar al niño en esta etapa, en la que está aprendiendo a pertenecer a la raza humana, puesto que si se siente mal puede retirarse con facilidad.

Es necesario separar claramente la fantasía de la realidad: las dos están bien, pero hay que conocer la diferencia.

«Soy un monstruo.»
«Eres muy bueno imitando a un monstruo.»
«¡Uau! ¡Rooff!»

Es importante pedirle las cosas con claridad, y mejor aún utilizando una frase positiva: «Recoge tus juguetes» en vez de: «No seas desordenado.»

Vera es la clase de madre que te hace sentir que eres un crío. ¿Se la imaginan, o ella huele realmente a pastas caseras? Tiene una mente ágil y un excelente buen humor, y es capaz de poner a un joven psicólogo en su sitio. Creo que es mejor aprender de ella que intentar enseñarle. Vera nos cuenta que su hijo de ocho años, Dale, había desarrollado gradualmente un temperamento que representaba un problema para él y para otras personas. Después de una de las «explosiones» de Dale, Vera meditó profundamente el problema y luego llevó a cabo una cura realmente original.

Buscó un viejo álbum de fotos que el niño no conocía y se sentó a mirarlo con él. Le mostró los diversos patriarcas de la familia, el abuelo Les cuando era niño, el gran tío Alf, el primo Derek, y le contó dónde habían vivido y qué habían hecho. Dale miraba con fascinación esas caras y esos trajes antiguos, mientras Vera le contaba una historia: «Alf era un buen hombre pero algo testarudo», hubo una pausa en la que Dale se preguntó adónde llevaba todo esto, pero Vera siguió pasando las páginas, «¿Y qué pasó con su mal genio, mamá?». «Bueno, supongo que simplemente se libró de él... mira aquí está el equipo de cricket...»

Pronto entraron los otros niños, y Vera los dejó mirando las fotos para prepararles la merienda. De allí en adelante, Dale pudo comportarse de forma testaruda alguna vez, pero ya nunca volvió a perder los nervios. Supongo que simplemente se libró de su mal genio.

¡Lo hice a mi manera!: 6-12 años

Lo que hace posible que los niños entre seis y doce años naveguen por el mundo de la escuela, de los amigos y de la vida en general es su conocimiento de cómo funcionan las cosas y de las «reglas de la vida». Estas reglas pueden variar desde «Si le dejo mis juguetes, ella será mi amiga» hasta «Si no llevo mi paraguas, me mojaré y seguramente pillaré un constipado y no podré ir a patinar sobre el hielo».

Los padres serán de gran ayuda manteniéndose firmes frente a esas reglas importantes y comprometiéndose en aquellas que son negociables; el niño aprenderá de este modo la habilidad de hacer concesiones que es tan útil en la vida adulta.

Las discusiones y los desafíos con su hijo, especialmente si no se comporta usted como una persona dominante, sino que, por el contrario, está verdaderamente interesado en lo que hace, ayudarán a su hijo o hija a desarrollar la posibilidad de pensar en las necesidades de otras personas y comprenderlas. Es esencial que los padres se cuiden a sí mismos para poder continuar con estos desafíos o peleíllas sin perder su calidez y su buen humor.

Los padres también necesitan tener otros intereses y ocupaciones, además de ser padres para no sentirse tentados de actuar de forma dominante, ni terminar involucrándose demasiado con el mundo de los niños, ni tampoco utilizar a los niños como compañía en vez de relacionarse con adultos. Y esto es especialmente importante para aquellos padres que no tienen pareja.

Preparándose para marcharse de casa: 12-18 años

Por duro que parezca (o quizá esté usted contento), ésta es la época en la que los jóvenes se van de casa, luego vuelven, se marchan otra vez, y así se preparan para la partida definitiva y el salto al mundo adulto. Aunque él o ella no acaben de marcharse, todos sus intereses y energías están puestos fuera de la familia.

Algunos padres sienten resentimiento porque ésta es una etapa de «conducir el taxi»; lo cual refleja mejor que ninguna otra cosa nuestro servicio de transportes públicos (o la falta de ellos) y los peligros de nuestras calles por las noches. Conducir el taxi nos ofrece, al menos, la posibilidad de hablar.

Tres cosas importantes están teniendo lugar:

- El adolescente avanza como la marea —en oleadas, hacia dentro y hacia fuera. Durante un minuto es independiente, al siguiente está deseando que lo alimenten y lo cuiden; en un momento se muestra muy razonable y al siguiente está rebelde y dispuesto a discutir por cualquier cosa. Conocer esto nos permitirá conducir la situación más fácilmente; a pesar de las olas, la marea está avanzando.
- La sexualidad se está transformando. Una persona joven necesita escuchar que el sexo es bueno y que la sexualidad es saludable y bienvenida, y que supone tomar ciertas decisiones de responsabilidad. Los padres no deben actuar de forma seductora ni responder a la seducción del joven, excepto para decir: «¡Sé de alguien que va a estar encantado de estar contigo!»
- Pronto llegará la ruptura. Algunos jóvenes se marchan de casa fácil y lentamente, pero la mayoría no lo hace de este modo. Usted puede descubrir que él o ella intenta crear y mantener constantes desacuerdos con el fin de conseguir una energía que le permita marcharse. No lo tome usted como algo personal; éste es un momento un poco doloroso, como el dar a luz, pero vale la pena.

LOS NIÑOS Y LA TELEVISIÓN. EL GRAN DEBATE

La mayoría de los niños ve demasiada televisión, de hecho pasan más horas frente al televisor que en sus aulas, y no se trata solamente del tiempo invertido en esta actividad, sino también de la clase de programas que ven. Ciertas investigaciones han demostrado que un chico en la mitad de su adolescencia ha visto más de diez mil escenas de violencia y miles de muertes mostradas en dibujos animados o de forma realista; y esto en las horas de programación para niños.

Uno de los principales problemas que representa la televisión es que nuestros niños están expuestos a los valores de la violencia y de la vida fácil. Otro gran inconveniente es que el flujo hipnótico de la pantalla del televisor sustrae a nuestros hijos de otras actividades y ocupa el tiempo que ellos normalmente dedicarían a jugar, a saltar, a correr, a hablar, a leer y a ser creativos.

Si usted es padre, le sugiero que observe a sus niños cuando ven la televisión. Seguramente se estremecerá al ver sus bocas ligeramente abiertas y su mirada en blanco después de un rato frente al aparato; es obvio que están en un «estado alterado» y, con toda seguridad, en ningún otro momento podrá usted ver tan pasivos y abstraídos a sus hijos. Para utilizar una comparación, cuando leen un libro, sus mentes trabajan ágilmente mientras ellos imaginan lo que las palabras evocan. Si conducen el coche, juegan en el patio o van al circo, están animados y activos, «se comen» el mundo con sus mentes, pero frente a la televisión caen otra vez en ese estado de estupor, y la parte activa de sus cerebros «se ha marchado a comer». Obsérvelo usted mismo, y juzgue si le gusta lo que ve.

Los niños pequeños resultan particularmente afectados por lo que ven en la pantalla. Cierta vez había en casa un niño de cuatro años que antes de irse a la cama pasó al salón a despedirse. Estábamos viendo una comedia, y en ese momento había una escena en la que la mano de una criatura tipo ET salía de un armario, rechazaba patatas fritas y cacahuetes pero cogía al niño y lo llevaba dentro del armario, y ¡luego eructaba! La escena era sutil, no era realmente un drama, sólo se trataba de un irónico humor para adultos. Miré al niño y vi que apretaba fuertemente sus mandíbulas.

«¿Estás bien, Ben?»
«Déjame.»
«¿Por qué estás enfadado?»
«Se ha comido al niño»,

y diciendo esto se echó a llorar y estuvimos más de cinco minutos consolándolo e intentando restarle importancia al incidente. Nos sentimos conmovidos y un poco avergonzados de haberlo expuesto a un sufrimiento innecesario, y temimos que las siguientes noches Ben pudiera sufrir pesadillas. Los niños mayores pueden, sin embargo, mirar escenas de terror sin manifestar la menor reacción. ¿Son insensibles? ¿Es esto bueno o malo? Nadie lo sabe con certeza.

Líneas guía

Si está usted un poco preocupado y desea hacer algo en relación con lo que sus niños ven en la televisión, aquí van algunas sugerencias para valorar los programas de televisión...

Lenguaje. No solamente soltar tacos, sino la riqueza y calidad de la expresión verbal. He aquí una prueba muy sencilla: escuche el programa de televisión que está mirando su hijo durante algunos minutos sin prestar atención a la imagen (o escuche el diálogo desde la cocina). ¿Le gusta que su hijo aprenda esa forma de hablar? ¡Aaargh! ¡Urgh! Toma esto, yo te enseñaré...

Imaginación. Algunos niños sólo saben jugar a unos pocos juegos: a disparar, a chillar, a pegarse. Quizá esto sea un síntoma por todo lo que ven en la televisión pero es posible seleccionar sus programas para que tengan un abanico de temas para aprender. En Australia se comercializó un conjunto de vídeos llamado «Kaboodle», destinados a mejorar la calidad de lo que los niños ven en la tele, en los que se utilizaba muchos estilos diferentes de programas en vivo y de dibujos animados. Los niños los encuentran muy buenos, a tal punto que usted mismo puede mirarlos. Algunas películas y programas para niños son realmente imaginativos, profundos y estimulantes.

Valores. Esto significa el mensaje oculto de la serie, que tiene un poderoso efecto porque es absolutamente inconsciente.

Los problemas más comunes de los valores incluyen:

- Los malos y los buenos, algunos son villanos, tiene voces profundas y su apariencia es divertida; como son todos malos, está bien matarlos. Los que son buenos son todos guapos y suaves.

- Los conflictos son siempre el resultado de dos «malos» que se comportan de forma ruin, hasta que «los buenos» pueden vengarse. Está bien herir a los malos por lo que han hecho, la venganza es dulce y no hay negociación posible ni terreno intermedio. No hay razones ni márgenes para el conflicto; la acción —cuanto más violenta mejor— es la única respuesta para el problema.
- Papeles sexuales. Esto es algo que ya debería haber desaparecido, pero aun en los programas de *Dr. Who* (Dr. Quien) o *Astro Niño*, las chicas son guapas, tienen una voz muy aguda y siempre deben ser rescatadas. Los niños o los hombres siempre tienen armas y están orientados a la acción, vuelan por el espacio, toman decisiones, rescatan a las chicas, y ¡nunca lloran!

Publicidad. ¿Es posible que los programas financiados por compañías de juguetes se conviertan en un anuncio de media hora de juguetes y accesorios? ¿Son todos los anuncios de comida-basura y de carísimos juguetes de moda? ¿No sería más barato si su televisión se adhiriera a ABC?

Noticias. No se equivoque usted con las noticias como parte de la educación de los niños; son realmente una forma de entretenimiento y frecuentemente nos ofrecen una imagen distorsionada y poco realista del mundo real. Las noticias no son adecuadas para los niños más pequeños, y en su forma actual tampoco creemos que lo sean para los adultos, pues nos ofrecen una mala información del mundo en que vivimos y nos pueden convertir en individuos paranoicos o depresivos.

¡Y qué hay de la televisión educativa?

Una parte de la televisión dedicada a los niños es magnífica; desde los años sesenta se han hecho esfuerzos por utilizar el potencial de la televisión para ayudar, en especial a los niños discapacitados, a obtener los conocimientos básicos que han de necesitar en el colegio para que puedan competir con niños de entornos más ricos o más estimulantes. *Barrio Sésamo* es ya un programa legendario y, sin embargo, aún no ha sido superado el grado de profundidad y pensamiento que incluye en sus diálogos (aunque ha sido criticado por tener demasiada prisa por conseguir la atención de los niños).

Las investigaciones han demostrado que los programas del tipo de *Barrio Sésamo* funcionan mucho mejor si los padres lo ven con sus hijos de vez en cuando y cantan juntos las canciones o comentan los personajes, ayudando así a sus críos a «participar» en el programa, evitando otra vez el síndrome de la mirada vidriosa. Los realizadores del programa ya habían advertido esto y, deliberadamente, incluyeron en el programa ironías y humor sutil que pudieran interesar a los adultos, y también presentaron estrellas de rock u otras celebridades para asegurarse de que los padres mirarían el programa junto a sus hijos en algunas ocasiones.

En resumen

Existen muchos puntos brillantes en la televisión para niños. *Play School* (Escuela para Jugar) es enormemente popular para los más pequeños porque los presentadores no hablan de los niños, sino directamente A LOS NIÑOS, y de un modo tal que, a veces, ellos mantienen conversaciones con la tele. El *Inspector Gadget* debe parte de su popularidad al personaje de una niña lista y capaz.

Muchos padres se ocupan de restringir en tiempo y calidad lo que sus hijos ven en la televisión; les permiten verla una o dos horas al día, y negocian con ellos los programas. Esta actitud estimula al niño a planificar, a ser selectivo y a saborear su programa en vez de mirar la televisión sin interrupción. Coloque su aparato fuera del salón para que no interrumpa ni domine la vida familiar.

Es mejor no ser demasiado rígido con el tema de la televisión para que no se convierta en un conflicto importante, pero, considerando que es la mayor influencia que recibe la mente de los niños, es mejor controlar la «dieta televisiva» de sus hijos.

CÓMO DETENER A LOS NIÑOS QUEJICAS

¿Ha notado usted que algunos adultos tiene voces realmente agradables y que algunos niños tiene tonos de voz melodiosos y es un placer escucharlos? ¿Y ha notado usted que no hay nada peor que un niño que gime y lloriquea todo el tiempo, hablando a través de su nariz? AAAAAAWWWWWWWW Muhhhhhhhhhhmmmmmm.

¿Sabía usted que el tono de voz que utilizamos —como adultos o como niños— es simplemente un hábito? Y no solamente un hábito de la voz, sino también de la actitud general frente a la vida. Los gemidos o quejidos vienen de la parte desamparada e indefensa que quiere que los demás se encarguen de todo, pero que nunca se siente satisfecha ni deja de quejarse y gimotear. Cada vez que nos quejamos, estamos sintiendo esto, y cuando a los niños quejicas no se los detiene a tiempo se convertirán en adultos quejicas. (Detrás de todo marido regañón o de toda esposa que no cesa de lamentarse hay un padre que se rindió ante un niño quejica.) Este problema se puede solucionar en un abrir y cerrar de ojos de la siguiente forma:

Primero debe usted comprender cómo comienza este modelo de comportamiento; es muy simple: un niño nos pide algo suavemente, pero la segunda vez lo hace gritando, entonces le decimos que no o lo ignoramos. Se inicia ahora la segunda fase: comienza a excitarse y a gimotear a viva voz y, probablemente, descubra de forma accidental un tono de voz que es imposible ignorar. Nos rendimos frente a su actitud, para volver a gozar de paz y tranquilidad, pero si el modelo se repite con frecuencia, los niños aprenden a depender de él, y, antes de que pueda darse cuenta, usted tendrá un hijo quejica.

¿Y qué hacer?

1. DECÍRSELO. La próxima vez que se pongan quejicas, mírelos fijamente a los ojos y dígales: «¡Hazme el favor de usar tu voz normal!»

2. ENSEÑARLE CÓMO SE HACE. Descubra si los niños son capaces de hablar con una voz suave: firme, pero profunda en

el tono. Déjelos ensayar hasta que acierten con el tono, y muéstreles usted cómo se hace para que comprendan lo que pretende enseñarle.

3. NO APARTARSE DE LA TAREA. Inicie la campaña, y, cuando gimoteen por cualquier cosa, dígales: «Utiliza tu voz normal.»

La elección de las palabras es importante para ellos —le está usted enseñando que ser quejica no es normal—, y asegúrese de que consiguen lo que desean sólo si lo piden de forma positiva.

Si lo que consigue es un tono como de discurso de Nochevieja de la Reina, no desista usted, pues ellos deben también aprender a aceptar un no por respuesta. Una vez más, sea usted realista, ellos están aprendiendo el modo en que funciona el mundo —que la gente responde bien y es más atenta si se utiliza un tono agradable y positivo.

8

La energía y cómo ahorrarla

Buenas noticias: sus hijos lo necesitan sano y feliz

DURANTE un tiempo viví en un pueblo costero de Papúa, Nueva Guinea. Los niños allí no vivían con sus padres sino que circulaban en pequeños grupos de una casa en otra. Se podía ver a los niños de siete años llevando a los bebés o encendiendo el fuego para cocinar, y a los catorce ya se ocupaban de actividades de adultos con plena confianza y con cierto orgullo. El suceso más interesante y novedoso fue que una docena de niños se instalaron en mi «casa» y yo pensé que si me aburría de ellos se marcharían a alguna otra casa. Cierta noche sufrí de diarrea tropical, y para salir de la casa ¡tuve que pasar sobre una alfombra de pequeños cuerpos morenos!

Pensé que éste era un lugar ideal para ser padres porque el trabajo y el placer se compartían en toda la aldea y cualquier adulto que estuviera presente *era* un padre.

En nuestra sociedad, la paternidad no se comparte, y no es seguro para los niños moverse solos dentro de la comunidad.

Es fácil sentir que tienes que convertirte en una especie de «Superpadre» para afrontar todas las necesidades de los niños: entretenimiento, educación, amor, comida, bebida, seguridad, ropa y limpieza. Si es usted el tipo de padre que pasa mucho tiempo en casa, con toda seguridad se siente superdoméstico, limitado por el hogar y añora la compañía de los adultos. Si usted es el padre que sale a buscar dinero, con toda seguridad se siente un caballo de tiro, con una cuota muy pequeña de hogar y familia en su vida. No es de extrañar que muchos padres con uno o dos niños menores de cinco años se sientan a menudo exhaustos, irritables y con una salud siempre en el límite.

Cuando nos sentimos bien, estamos en buena compañía, gozamos de buena salud y estamos descansados, damos lo mejor a nuestros niños y disfrutamos de ellos. Cuando nos sentimos solos, cansados, enfermos o sobrecargados, los niños se convierten en una amenaza, un competidor en la lucha por la supervivencia. Este punto puede fácilmente convertirse en un peligro para usted, para su matrimonio y para la seguridad de sus hijos.

Los padres estresados pueden llegar a un punto en el que piensen que no son capaces de criar a sus hijos. Es vital que usted aprenda a cuidarse: sólo de esta forma será un buen padre.

Sus hijos lo necesitan sano y feliz, y este breve capítulo le enseñará la forma de encontrar el camino y cómo mantenerse en él.

A menudo hablo con padres que no comprenden por qué no saben hacerlo bien y que esperan un comportamiento de superhombre sin darse cuenta de que el ser humano necesita «combustible»: no simplemente comida, sino energía en forma de amor, de reconocimiento, de contacto y de comunicación con otras personas.

Cada persona con la que hablamos toma energía de nosotros o nos da energía, por eso decimos que algunas personas nos ayudan a «descargar». Y por esta misma razón a veces también tememos que ciertos conocidos nos telefoneen o recorran 100 kilómetros sólo para ver a un amigo especial durante una o dos horas.

Los niños pueden devolvernos la energía, pero en general lo correcto es que seamos nosotros quienes los «recarguemos». Sin embargo, cuando somos su única fuente de combustible y nos agotamos, es esperable que algo funcione mal.

Piense usted por un momento: ¿En qué punto está la energía de su depósito mientras lee este libro?

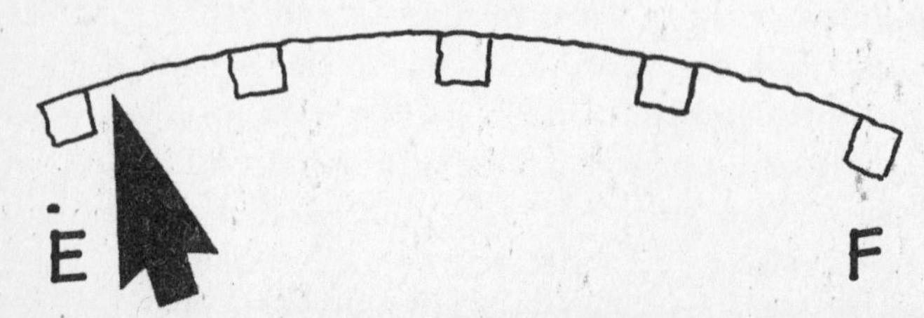

¿Está donde normalmente se encuentra? ¿Está usted casi siempre al borde de la reserva (como en la canción)?

Frecuentemente tratamos a nuestro cuerpo como tratamos a nuestro coche: cinco dólares de gasolina, neumáticos gastados y demasiado tiempo entre una y otra puesta a punto.

Debería usted observar a su familia o amigos y considerar si aumentan o agotan sus reservas de combustible; algunas veces la gente descubre que sus amigos sólo le «roban» energía sin dar nada a cambio. ¡Será el tiempo de buscar nuevos amigos! Algunas personas que habían sido positivas en nuestra vida (incluso parientes) pueden ser ahora una mera fuente de sentimientos negativos. Usted puede modificar la forma de relacionarse con la gente para disfrutar de intercambios positivos.

«Hola, querida, he tenido un día horroroso.»

«Yo he tenido un día maravilloso, déjame contarte.»

«Hemos tenido muchos problemas en la oficina.»

«Vale, puedes hablarme de ellos, pero ¿no preferirías que pensáramos en nuestras vacaciones?»

Es una buena estrategia que, realizada con humor, beneficia a ambas partes.

Cierta vez estaba reunido con un grupo de veinte jóvenes padres y pasamos un par de horas enumerando las distintas formas de «recargar sus depósitos», así conseguimos algunas buenas ideas:

- Conseguir una canguro.
- Aprender a ser aburrido con los niños para que nos dejen en paz por un rato.
- Pasar 10 minutos con su pareja al volver del trabajo: intercambiar *buenas noticias* o simplemente estar juntos (los niños pueden quedarse si prometen estar tranquilos, de lo contrario deberán marcharse a otra habitación).
- Cada día pasar media hora de *atención completa* con los niños en vez de pasar muchas horas con ellos pero de mala gana. Déjelos planificar qué es lo que van a hacer en esa media hora que *pasarán* con usted.

- Aprender a *desconectarse* de un modo suave para poder estar relajado y tener buenos pensamientos mientras se hacen las tareas domésticas, se trabaja en la oficina, etcétera.
- Cocinar comidas que le apetezcan en vez de preparar siempre comidas para niños.
- Escuchar *su* música.
- Pasar mucho tiempo con otros padres.
- Saber con claridad lo que se espera de la pareja: afecto, sexo o sólo compañía. Intentar comprender las necesidades del otro tan pronto como afloren. Si normalmente cuando está tenso usted habla sin parar, intente con un masaje; si generalmente da masajes, trate de hablar.
- Realizar de forma regular una actividad que no tenga que ver con ser padres y que represente *una actividad placentera*, a solas o con otras personas.

Algunas veces los recién nacidos y sus mamás no se llevan del todo bien, y cambiarle los pañales o darle de comer es una lucha en la que ninguno se siente a gusto. El equipo de un hospital introdujo un programa maravillosamente simple para facilitar el vínculo entre madre e hijo, y que simbolizaba el proceso de la paternidad en su conjunto. El equipo observó que madre y bebé estaban atrapados en un círculo vicioso; entonces pidieron a la madre que se sentara y al padre que se sentara detrás de ella masajeándole dulcemente los hombros y la espalda, para que se relajara. Ella, mientras tanto, sostenía al bebé, y quizá también lo alimentaba. Si la madre no tenía pareja, un miembro masculino del equipo le daba el masaje, y si el padre estaba tenso, incluso un fisioterapeuta se sentaba detrás de él y lo masajeaba a su vez.

El simple hecho natural de tocar transmite energía y reafirmación y le permite al hombre relajarse y deshacerse de los patrones de tensión. Lamentablemente esto se olvida muy pronto... ¡pero es mejor que cualquier tranquilizante!

- Utilizar todas las formas de apoyo y ayuda que estén a su alcance: asociaciones de vecinos, centros de salud infantiles, centros de mantenimiento (no los que sean simplemente comerciales), deportes, grupos de juegos y guarderías, escuelas para padres.
- Utilizar una guardería o una cooperativa de canguros para conseguir «tiempo para usted», en vez de correr de tienda en tienda o cuando tenga que ir a trabajar.
- Aprender que el «Desorden es bonito» y abandonar el ideal de una «casa impecable» durante unos años (siempre puede tener una aspiradora detrás de la puerta y decir a los invitados: «Estaba a punto de poner todo esto en orden»).
- Tener «zonas para niños» dentro de la casa, donde no existan objetos de valor y donde las superficies y los muebles sean fáciles de limpiar. Esto ahorra la energía que se pierde diciendo «No» miles de veces al día.
- Tener ciertas zonas de la casa limpias y agradables donde no puedan entrar los niños, y de este modo usted dispondrá de un sitio donde pasar un rato a gusto.
- Hablar, resolver problemas, hacer planes en el salón, sentarse cara a cara sin que los niños interrumpan. No hacer que la cama sea el Parlamento de la casa, la cama sirve para cosas mejores.

Existen un montón de rumores negativos sobre el hecho de tener hijos: con niños pequeños no tienes tiempo para ti; tendrás que esperar a que crezcan para relajarte; tu pareja deberá tener paciencia porque los niños son los que más te necesitan. Nada de esto es verdad, ser padres es algo divertido.

¡Pero no tengo tiempo para mí!

Los padres que realmente sufren son los que ponen muy altos modelos y relegan sus necesidades al final de la lista. «Pero, doctor, no puedo entenderlo; acababa de redecorar la habitación de huéspedes y de hornear la tarta de tres pisos para la fiesta de

Damián cuando empezó esta horrible jaqueca. ¿Podría darme usted algo? Tengo que darme prisa en volver a casa y terminar el traje de Darlene.»

En verdad, como padres sólo es preciso asumir tres simples responsabilidades que enumero a continuación *en orden de importancia:*

- cuidar de uno mismo;
- cuidar a la pareja;
- cuidar de los niños.

La gente suele pensar que, para ser padre, hay que realizar enormes sacrificios y convertirse en un felpudo y, por esto, mucha gente ha optado por no tener niños. Todos aquellos que pensaban que ser padres era una labor de autonegación son los que a mediana edad o al llegar a la vejez dicen cosas como éstas: «Todo lo que hice fue por ti» o «Te dimos los mejores años de nuestra vida», intentando capturar la deuda que sus hijos han contraído con ellos a través de la culpa. Pero el hecho es que ser padre es algo que se hace por uno mismo.

En consecuencia, cuidar de uno mismo, de la pareja y de los niños es la misma cosa: cuidar de usted mismo le hace más feliz y más generoso, usted es capaz de dar sin condiciones y desde una posición de satisfacción.

Cuidar de su pareja le recuerda que es usted un adulto valorado y atractivo, y no simplemente un cuidador de niños o un sostén de familia; le da un sentido de la estabilidad que le permite relajarse, pero al mismo tiempo usted permanece interesado en su pareja y atraído por ella gracias a los cambios que están viviendo y que les permiten crecer juntos.

Una vez conquistado lo anterior, el cuidado de los niños fluye naturalmente: si usted siente que ha elegido ser padre como uno de sus objetivos en la vida, si se cuida a sí mismo y tiene pareja y amigos que lo apoyen, entonces entregarse a los niños es muy fácil. Su depósito de combustible estará casi siempre lleno y los niños no necesitarán comprar miles de cosas.

Final del sermón.

Cómo ahorrar energía con un «no suave»

Jerrem tiene dos años y medio y tiene al diablo en el cuerpo. Parece haber aprendido a ser un niño enérgico, y no para de pedir cosas hasta que algo sucede, ya sea tomar un helado en la merienda, interrumpir a mamá cuando habla por teléfono o conseguir ese juguete maravilloso a la salida del supermercado.

Afortunadamente, su madre, Allie, está descubriendo cómo tratarlo. En primer lugar sabe que se trata de una etapa normal de desarrollo para los niños de la edad de Jerrem y que no durará eternamente. En segundo lugar acaba de hacer un máster sobre la técnica del «no suave» y ¡se ha convertido en una madre invencible!

Ve a las otras madres lidiando con sus hijos de dos años, atrapadas en una tensión cada vez mayor:

¡Lo quiero! No
¡Lo quiero! No
¡Lo quiero, lo quiero, lo quiero!
¡No, no puedes tenerlo!

Las madres se enfadan, se ponen nerviosas, se sienten mal consigo mismas y terminan por asumir que deben competir con los gritos y las caras coloradas de sus hijos para ganar.

Allie se comporta de forma totalmente diferente: ella dice simplemente no con suavidad (a sabiendas de que los niños tienen un excelente oído). Si Jerrem insiste, vuelve a decirlo otra vez suavemente, al tiempo que relaja sus hombros y afloja todo su cuerpo (un truco que le llevó varias horas aprender). Si Jerrem grita, especialmente en un lugar público, ella se imagina que lo arrastra hasta el coche, pero a la vez se afloja y sonríe interiormente. Ella controla sus sentimientos y no permite que sea Jerrem quien los controle, y cuando le asalta la tentación de gritarle, comienza a imaginar el placer que le dará esta victoria y la tentación desaparece.

Allie está sorprendida, pues nada más acabar su máster del «no suave», Jerrem ha dejado de reñir.

LA COMIDA Y EL COMPORTAMIENTO DE LOS NIÑOS

¿Cambiaría la dieta de sus niños si supiera que con esto les iría muy bien en la escuela, estarían más tranquilos y felices, y que para usted sería un placer que estuvieran a su alrededor? Por supuesto que sí.

¿Sabía usted que una alimentación insuficiente es una de las principales causas de la delincuencia juvenil? ¿Y sabía que cambiar la dieta puede ayudarle *a usted* a sentirse mejor, tener más energía, y quizá a eliminar algunos kilos de más sin comer menos?

A veces es importante volver a las cosas básicas, y nada hay más básico que la comida. Estamos descubriendo que lo que la gente da de comer a sus hijos y el momento en el que los niños comen tiene un efecto profundo en su vida.

He aquí algunas ideas acerca del efecto psicológico de la comida:

1. ELEGIR COMIDA QUE PROPORCIONE ENERGÍA CONTINUA. La comida sirve a dos propósitos, provee nutrientes para crecer y regenerar nuestros cuerpos, y también nos proporciona energía para nuestra actividad física y mental. Mucha gente da a sus hijos una dieta nutritiva compuesta por una gama de alimentos, pero también es importante darles una comida energizante que sea correcta: carbohidratos complejos y proteínas que provocan una continua liberación de energía en el sistema del niño a lo largo de todo el día. Este tipo de dieta previene la fatiga y proporciona un estado mental atento y estable y ayuda a los niños a sentirse tranquilos. En particular, los niños necesitan los carbohidratos complejos, como alimentos integrales, comida rica en proteínas y quizá algo de alimentos frescos como fruta para desayunar cada mañana.

2. COMER ANTES DE QUE SE NECESITE HACERLO. Eso es —¡el desayuno! El desayuno es la comida que proporciona energías para todo el día. Comer comidas muy sustanciosas por la tarde o noche puede alimentar a sus niños y a usted

mismo, pero la ingestión de energías se desperdicia. Hacer la comida principal justamente antes de comenzar una actividad previene la obesidad: los alimentos van directamente al flujo sanguíneo donde son necesarios. Pero cuando niños o adultos hacen una gran comida por las noches y luego se sientan o se van a dormir, los alimentos se dirigen hacia las reservas de grasa. Se puede comer todo lo que uno quiera pero cambiando el MOMENTO de ingerir los alimentos, pues de esta forma se eliminarán muchos problemas de obesidad.

Le sugerimos que experimente: déle a sus niños proteínas, como huevos, carne, queso o pescado, para desayunar durante dos semanas (si protestan porque no tienen hambre, déles una cena más ligera la noche anterior) y observe cuánto más tranquilos y felices están en casa y en el colegio.

3. ELIMINAR LOS BOLLOS. El azúcar y los alimentos hechos a base de azúcar refinada tiene un efecto particularmente desagradable en los niños. Muchos niños tienen demasiada energía minutos después de comer este tipo de alimentos, están nerviosos, hiperactivos y demasiado traviesos. Un análisis de sangre revela que la liberación de energía llega al punto máximo rápidamente, y luego el azúcar que hay en la sangre del niño desciende hasta el nivel desde donde partió, mientras el cuerpo intenta amoldarse a este proceso. A media mañana los niños sufren una merma de energías que les impide concentrarse y los hace comportarse de forma perezosa y dispersa.

4. ELIMINAR ALIMENTOS QUE CONTENGAN QUÍMICA, CONSERVANTES O TINTURAS. Los alimentos con conservantes provocan efectos complejos e individuales. Cuando visito las guarderías suelo ver gráficos colgando de las paredes que recuerdan a las maestras a las qué son alérgicos los niños; necesitarían un ordenador para tenerlo todo controlado. No parece correcto que el cuerpo humano manifieste tales reacciones frente a los alimentos naturales; quizá los aditivos y residuos químicos han hecho que determinados niños sean hipersensibles a un alimento que anteriormente era muy sano.

Además de observar a qué alimento es sensible su hijo, también es cierto que algunas comidas generalmente representan un problema para cualquier niño. La necesidad de reducir el azúcar, que ya hemos mencionado, debe realizarse especialmente durante el desayuno y el almuerzo. El Tartrazine (E102) que se encuentra en los alimentos teñidos de amarillo puede causar violentos arranques de hiperactividad en los niños. Los fosfatos (que se encuentran en los alimentos procesados tales como perritos calientes, hamburguesas comerciales, queso procesado, sopa instantánea) son también peligrosos.

La manera más fácil y efectiva de alimentar a sus hijos es darles más alimentos completos y proteínicos al comienzo del día: no querrán comer tantas porquerías. Pero si su hijo va al cumpleaños de un amiguito cuyos padres están aún en la dieta de los 50 (refrescos, tartas, helados y golosinas), entonces aliméntelo bien antes de que se marche, y el daño será menor.

No sea demasiado rígido ni realice cambios draconianos en la comida, porque ésta se relaciona con lo emocional; comience de una forma gradual y constante, pero con un programa definido.

Existen serias investigaciones que apoyan esta nueva aproximación a la nutrición; en la edición de septiembre de 1988, *New Internationalist* incluyó un estudio sobre 3.000 jóvenes delincuentes cuya conducta criminal se redujo en un 70-80 por 100 después de doce meses de una dieta altamente nutritiva.

¡Necesitaremos menos psicólogos, psiquiatras e incluso policías cuando la gente tome un buen desayuno!

9

Situaciones especiales

Cómo puede usted ayudar si es un maestro, un político, un abuelo, un vecino o un amigo

Si es usted un maestro de EGB: Cómo contrarrestar la programación negativa de sus alumnos

CÓMO puede usted ayudar si es un maestro de EGB, un profesor de bachillerato, un político, un activista de la comunidad, un abuelo, un vecino o un amigo.

En el momento en que un niño ingresa al preescolar, deberá usted reconocer la «programación negativa» muy claramente.

Éstos son los indicadores principales:

- un niño que se queda atrasado con respecto a otros niños, que parece triste o agitado y que no responde a las muestras de amistad de otros niños;
- un niño que acude al colegio, pero que cuando se le presenta una tarea o actividad, no se ocupa de ella o parece confundido o temeroso ante un acercamiento personal;
- un niño que pega a otros niños y reacciona de forma inadecuada cuando se le habla (por ejemplo, se ríe cuando lo castigan) y no establece buenos vínculos con los demás niños.

Es posible que en su clase haya niños que tengan una combinación de los tres problemas.

Para simplificar vamos a estudiarlos de uno en uno:

El niño triste y solitario

Es más útil considerar que estos niños no han sido valorados ni han recibido afecto en sus primeros años de vida (0-2 años). Necesitan mensajes positivos como personas y no en relación con lo que hacen, por ejemplo, «Hola, Eric, qué alegría verte de nuevo». Un abrazo o un gesto amistoso les permite reafirmarse, cuidando especialmente de que no se sientan diferentes a los demás.

Estas estrategias, realizadas durante algunos días o semanas, lograrán que el niño se relaje y se abra en clase y comience a establecer contacto con usted: le mostrará su tarea, le sonreirá mientras usted observe al grupo, le hablará, etcétera.

El niño autocrítico que ni siquiera intenta hacer cosas

Este niño puede haber tenido cubiertas sus necesidades en una temprana etapa de su vida pero ha sufrido humillaciones verbales desde que fue suficientemente mayor como para entenderlas (lo que sucedió cuando era aún muy pequeño). Este modelo es bastante frecuente cuando las madres tienen su segundo hijo y comienza a criticar verbalmente al primero.

Muchos padres, especialmente cuando están pasando por un momento difícil, maltratan a sus hijos cada vez que les dirigen la palabra, y debido a estas situaciones (probablemente uno de cada diez niños) el niño dice cosas como: «Soy un estúpido», «No puedo hacerlo», «Soy un tonto» cuando se le pregunta por qué no ha realizado su tarea.

Obviamente, el remedio está en sus manos: a este tipo de niños dígale cosas positivas constantemente, y lo ideal sería que les diera usted mensajes positivos acerca de lo que hace y de lo que es. Por ejemplo: «Has hecho esto muy bien», «Me gustan tus ideas para pintar», «Qué agradable el verte esta mañana» o un simple «Hola». Pero no exagere, haga simplemente comentarios discretos que él pueda comprender.

Debe usted asegurarse de no utilizar comentarios que infravaloren al niño (quien puede incluso provocarlos) y dirigirse a él enérgicamente sin utilizar los mensajes «Tú...» para controlarlo.

Por ejemplo, dígale «Ve y busca tu mochila», en vez de «¡Eres tan olvidadiza, Ana!»

Y para conseguir un efecto duradero, también será necesario ayudar a los padres. Si ellos vienen al colegio, seguramente usted descubrirá que están cansados, agobiados de trabajo y posiblemente resentidos y a la defensiva. El mejor acercamiento será una conversación amable antes de entrar en tema y evitar un ataque frontal: «¡Vuestro hijo es un problema!»

Puede explicarles de forma sencilla que ha notado que el niño carece de autoestima y preguntarles si ellos creen que lo critican o si lo llaman de alguna forma en especial. Explíqueles que usted también actuaba así cuando se sentía cansada pero que ha descubierto que los niños lo toman muy en serio hasta límites sorprendentes.

Los padres cuyos hijos entren en esta categoría serán los más beneficiados al leer este libro. ¡Podríais dejarles una copia!

El niño que es agresivo con otros niños y sarcástico con usted

He dejado este caso para el final. A este niño se lo puede comprender pensando que ha estado enganchado a una cultura «negativa», tratado de una forma agresiva y aprendiendo únicamente modos negativos de relación. Es más que probable que los padres de este niño riñan habitualmente, y no sólo con palabras sino también con actos.

El niño no elige relacionarse agresivamente, ésa es posiblemente la única forma de hacerlo que conoce.

Es muy importante darse cuenta de que, inicialmente, ese niño no responderá con frecuencia a la calidez y a los elogios (pero merece la pena intentarlo).

El maestro debe en primer lugar establecer un vínculo de la forma en que el niño pueda escucharlo —un control firme, y a veces utilizando modos de acercamiento negativos pero sin infravalorizaciones.

Por eso, en las primeras semanas, será necesario que usted le coloque una mano firme sobre el hombro (sin apretar ni controlar) y que le pida claramente que se comporte como es debido («Termina ya de hacer eso y ven aquí a coger un libro», «Siéntate ahora mismo y empieza a dibujar»).

El modo de lograr una relación significativa y beneficiosa con un niño agresivo es insistir con firmeza y sin enfadarse ni irritarse. Un contacto visual con cierto humor por detrás de la mirada mientras usted refuerza su firmeza, le indicará al niño que usted es lo suficientemente fuerte como para contenerlo, y él o ella podrán entonces empezar a relajarse.

Una vez que se haya establecido la relación se pueden agregar mensajes positivos para que el niño haga cosas positivas. Esto es seguramente muy diferente a lo que han hecho los padres, quienes sólo le hacían caso cuando el niño comenzaba a molestar.

Estos niños son los más responsables a la hora de adjudicar papeles específicos (tal como «el que recoge el material») que suponen una genuina responsabilidad y privilegio. En tanto establezcan una «amistad» con usted, es decir, la capacidad de intercambiar mensajes positivos, serán capaces de extender esta forma de relación a los demás niños.

Los niños que han sido programados negativamente quedan mucho más en evidencia en el colegio secundario, y, de hecho, las características de la escuela de enseñanza secundaria pueden empeorar fácilmente dicha programación. Si desea usted ayudar a estos niños, o si simplemente está interesado en saber cómo se puede tratar a los niños problemáticos, por su propia tranquilidad, siga leyendo.

Es posible que haya oído hablar de Iván Illich, un educador que critica duramente las instituciones del mundo occidental. Afortunadamente, lo hace con creatividad, y ocasionalmente ofrece una solución. Illich dice que la única razón por la cual tenemos escuelas es para preparar a la gente para la vida en las fábricas (y si se portan muy bien, para los bloques de oficinas). Por esta razón, nuestras escuelas se parecen tanto a las fábricas —la gente joven se acostumbra a ser un don nadie, haciendo lo que les ordenan hacer y produciendo objetos.

Si usted es un profesor de enseñanza secundaria

Realmente no es así de malo... ¿verdad? De cualquier modo, las escuelas de enseñanza secundaria pecan de cierta deshumanización; en particular son muy numerosas (más de 1.000 alumnos en un colegio, aunque lo que sugieren las investigaciones es que no haya más de 200-300 alumnos); no tienen una base familiar (los estudiantes nunca están en su propio territorio y con frecuencia cambian de grupo y no pueden seguir estudiando junto a sus amigos); la enseñanza es impersonal (aprenden con varios profesores, y éstos tienen tantas clases que ni siquiera conocen el nombre de los alumnos, y mucho menos conocerlos personalmente como para preocuparse por cada uno de ellos más que de una forma generalizada).

En mis investigaciones he descubierto que los estudiantes tienen cuatro problemas principales en relación con la escuela secundaria: el trabajo; sarcasmo e infravalorizaciones por parte de los profesores; soledad; infravalorizaciones y agresiones de otros niños. Es importante para nosotros que nos ocupemos de los tres últimos problemas.

Cuando era niño asistía a una escuela que estaba junto a la bahía cerca de la ciudad de Melbourne. Tenía una combinación (que más tarde descubrí que no era común) de un director que era gentil a la vez que ineficaz y un vicedirector que era un bruto.

En una ocasión vi cómo un niño salía despedido del despacho del vicedirector e iba a dar contra los armarios de la pared que estaba enfrente sin tocar el suelo en todo el trayecto. El vicedirector tenía rasgos de personalidad que me hubieran llevado, sin lugar a dudas (ahora que estoy cualificado en este campo) a encontrar la forma de encerrarlo.

Me gustaría señalar que no culpo tanto al individuo como a la confabulación de un equipo con el departamento de educación, que no sólo emplea ese tipo de gente sino que además los promociona. Afortunadamente, las cosas han mejorado mucho desde entonces.

Otra experiencia que dio color a mis años en la escuela secundaria fue el destino de un buen amigo que superó ampliamente al resto de la clase. Con sus brillantes calificaciones del último curso consiguió una beca para la Universidad y, sin embargo, no satisfecho con su último examen, compró un rifle y se quitó la vida.

Cuatro niños se suicidaron mientras yo asistía a ese colegio, y el campeón de natación está actualmente en prisión tras una lucha infructuosa contra su adicción a las drogas. Considero que todos ellos han sido víctimas, y que sus destinos podrían haberse evitado fácilmente. Cuando la gente me pregunta de dónde proviene la energía que dedico a la educación humanista, ésta es una de la docena de historias que puedo elegir para explicarlo.

Sarcasmo y desvalorizaciones provenientes del equipo de enseñanza

Es éste un síntoma de que el maestro se siente infeliz y frustrado. Muy pocas personas que no sean maestros conocen el estrés y la dificultad que supone enseñar en las escuelas secundarias de los años ochenta. Los educadores acuden a los psiquiatras debido a las crisis mentales y físicas que sufren en su trabajo.

Una escuela de gran tamaño y «sin cara» no es un sitio feliz para los maestros ni para los niños. Las escuelas secundarias, alimentadas por la crisis de las familias y el incremento del desempleo endémico y por los infortunios que de él se derivan, son a menudo lugares amenazantes para la integridad física y angustiosos en el plano emocional, a menos que se hayan mancomunado esfuerzos innovadores para humanizar el entorno del colegio.

El sarcasmo y las actitudes agresivas se utilizan con los niños por dos razones: una es que simplemente permite al maestro liberarse de sus tensiones internas: si el maestro fuera una persona feliz, esto no ocurriría. La segunda razón es que el control de los niños es una preocupación constante y el sarcasmo se utiliza para lograr que los niños se porten bien, al menos a corto plazo.

Una última petición. Todos nosotros perdemos alguna vez los nervios y hablamos en tono autoritario; los niños pueden tolerar esto, pero lo que realmente hace daño es una crítica constante y sin motivo. Si a usted no le gustan realmente los niños, por favor, no trabaje como educador.

El aislamiento también es una epidemia en las escuelas secundarias. Observen detenidamente el patio o el corredor durante un recreo: algunos estudiantes están solos mientras otros están con sus pandillas o grupos, pero no relacionándose unos con otros, sino cada uno en su historia.

Los chicos son más tolerantes con los que desean unirse al grupo; las niñas tienden a excluir o incluir de forma más decisiva. Por esta razón, veremos pares o tríos de niñas que permanecen juntas para alejarse de su propia soledad, pero apenas hablan entre ellas.

Soledad

En el aula veremos que algunos niños carecen incluso de la más básica capacidad para conversar. Apenas serán capaces de musitar una o dos palabras si se les habla, y jamás iniciarán ellos una conversación sin ayuda. Sólo recientemente algunos profesores de teatro y de lengua comienzan a ocuparse de estos recursos vitales.

Los niños solitarios tienden a pasar inadvertidos; los más ruidosos y agresivos se adaptan mejor puesto que al menos reciben parte de la atención que reclaman. Es posible que tenga usted que observar cuidadosamente la clase para reconocer a los solitarios y a los que no pronuncian palabra, pues seguramente están allí.

Si usted desea dar «prioridad» al niño o a los dos niños solitarios que siempre hay en cada clase, estableciendo deliberadamente un contacto con él y mostrando interés por su trabajo sin atraer la atención de toda la clase hacia él, aunque esta dedicación pueda parecer mínima, será muy valiosa para la árida vida social que han conocido.

Cualquier esfuerzo por humanizar las escuelas tal como los grupos familiares, salas que parezcan hogareñas, excursiones, acampadas y enseñanza especializada en las áreas sociales, de relaciones y de autoestima, representarán un enorme beneficio.

La escuela secundaria es la última oportunidad para muchos niños de escapar de una programación negativa. ¡Haga usted lo que pueda!

La legendaria crueldad de los niños con otros niños es tratada generalmente de un modo contraproducente. El problema resulta ser siempre un síntoma del sistema adulto en el que viven los niños. Un sistema opresivo, en casa o en la escuela, produce «víctimas» que se desquitan con los demás.

Agresión con la mirada, en actos y palabras

Desde tiempos inmemoriales, cuando los barones se comportaban duramente con los caballeros, éstos maltrataban a los campesinos, y éstos, en vez de armar una revuelta (carecían de los recursos para hacerlo), en general se trataban brutalmente entre ellos en un intento por liberarse. Cuando esta dinámica no se comprende, las autoridades de los colegios intentan detener la persecución persiguiendo ellos a su vez, y con esto sólo consiguen una mayor tensión y violencia en el sistema.

Cuando los maestros reciben facilidades y apoyo en su trabajo, y los niños son tratados con firmeza pero se les permite mantener su dignidad, las peleas entre niños desaparecen.

Aunque las condiciones materiales en un colegio son importantes, no pueden de ningún modo compararse *con la forma en que se tratan las personas*, desde los superiores hasta los subordinados.

Las escuelas no son la fuente de los problemas más serios que tienen los niños, pero tiene los medios para remediar el sufrimiento.

En un estudio realizado para el Consejo de Educación de Adultos en Melbourne se decubrió que los adultos analfabetos habían sufrido problemas de adaptación antes de que asistieran al colegio. La escuela, sin embargo, no fue capaz de solucionar los temores, y la baja autoestima de estos niños que representaron un obstáculo a la hora de aprender a leer y escribir (una décima parte de los adultos australianos tiene graves problemas de alfabetización).

El fracaso de los colegios en ofrecer soluciones a los niños es que ya no existe la figura del maestro de escuela. El fallo reside en el método de la «escuela-fábrica»: intentamos enseñar a niños en rebaños de 30 o 40, y luego nos preguntamos por qué no aprenden bien. Somos la única cultura de la historia que intenta educar de este modo a los niños; miles de años atrás los aborígenes enseñaban a los más jóvenes de uno en uno y no existían fracasos ni abandonos.

En resumen

Ningún maestro, no importa cuánta sea su dedicación, puede ser al mismo tiempo el soporte emocional y el estímulo de aprendizaje para 30 niños, y cada uno de ellos lo necesita para poder aprender bien. Pronto llegará el día en que revaloricemos la educación y aprendamos a inundar los colegios con adultos cualificados, voluntarios y asalariados para que cada niño tenga lo que se merece. Hasta entonces, la educación será una batalla cuesta arriba con muchas pérdidas.

Como usted es un maestro interesado en su trabajo (de otro modo no estaría leyendo este libro) y desea hacerlo lo mejor posible *ahora*, permítame concluir diciéndole:

> Elimine usted las infravalorizaciones en su clase y utilice métodos enérgicos de control;
>
> cuando se enfrente con niños problemáticos que le ocupan mucho tiempo y le quitan energía, utilice los métodos descritos en este capítulo;
>
> asegúrese de satisfacer sus *propias* necesidades para poder estimular positivamente a sus alumnos y propiciar su afirmación. ¡Es usted una especie en peligro y los niños lo necesitan sano y vivo!

Si es usted un político o un activista de la comunidad

La familia no es una isla, y una familia sana sólo puede existir si la sociedad satisface sus necesidades. La sociedad puede ser vista como un gigantesco club social, que asiste a un montón de abejas laboriosas y al que todos pagamos una cuota, a cambio recibe diversos beneficios.

Pero el club social está lejos de ser perfecto; no solamente está bastante desorganizado, sino que los miembros con intereses diferentes a nuestro propio trabajo cambian constantemente su dirección en provecho propio. Por lo tanto, debemos trabajar duro para asegurarnos de que tanto nosotros como otras personas recibimos lo que esperamos, siendo a la vez lo suficientemente cooperativos como para que el club no se derrumbe.

Los padres en particular entienden que necesitan intercambiar con el mundo para conseguir un trato justo para sus hijos. Así, además de dirigir las energías hacia el «interior» para mejorar la vida familiar, jugando y educando a los niños y dedicando un tiempo para estar con la pareja, los padres deben también dirigirse hacia el «exterior», es decir, la sociedad, formando parte de comités escolares, organizaciones de vecinos y asumir un compromiso político, religioso o de cualquier otra clase.

Naturalmente que se puede perder el equilibrio en cualquiera de las direcciones. En un extremo encontramos la familia que no se involucra en la vida comunitaria, y de este modo puede ser conducida como un rebaño hacia un estado totalitario. En contraste, encontramos los padres que están tan comprometidos políticamente (o en su carrera o en alguna causa) que no tienen vida familiar y están cada vez más deshumanizados.

Éste es un libro hacia el «interior» que trata de la vida dentro de la unidad familiar: un punto de vista valioso pero que requiere equilibrio. Esta breve sección trata de mostrar cómo la forma actual de entender a la familia afecta a la gran película.

El diagrama de la siguiente página muestra lo que normalmente se denomina «contrato social»: lo que recibimos como miembros de la sociedad. La película parece tener sólo un sentido pero en realidad no es así. La familia contribuye con su trabajo, con los impuestos y de muchas otras formas; de hecho, la familia multiplicada por millones ES la sociedad. Pero, de cualquier manera, la familia descubre con frecuencia que el intercambio no es equitativo; a lo mejor la atención médica es pobre o demasiado cara, o está recortada de los beneficios sociales, o no existe trabajo para los adolescentes de la casa. Todo esto requiere que la familia luche por lo que necesita.

En muchos talleres para padres he hablado sobre los «derechos de los padres» y he descubierto que ellos están insatisfechos con los servicios como, por ejemplo, escuelas, doctores, gobierno local, etc. Además de la tendencia natural que tienen los hombres de disfrutar al quejarse, está claro que mucha gente se siente impotente y estafada por la sociedad, y en especial por las autoridades. La idea de ser enérgico se aplica también a este tema y estamos enseñando a los padres, a través de juegos de papeles y ensayos de estrategias, a tratar con médicos imprecisos, funcionarios públicos maleducados, maestros arrogantes, etc., para que luchen por sus derechos incluso como consumidores.

Ser enérgico en este gran escenario debe incluir una acción organizada, ya que las voces individuales sólo tienen un poder limitado. En la octava década del siglo la gente se reunía cada vez más en grupos y movimientos. Ya no elegían los grupos con intereses triviales (como la mejora de la pista de tenis o cursillos auxiliares de repostería), ni favorecían los grupos más grandes tal como las tradicionales fiestas políticas, sino movimientos intermedios como los grupos que defienden el entorno, grupos de compromiso con la escuela, cooperativas de alimentación, etcétera.

Los políticos deberían agradecer estas tendencias, ya que representan el camino hacia una democracia verdaderamente participativa en las ciudades modernas que, de otra manera, serían anónimas y estarían aisladas. Un vecindario unido y atento previene con mayor éxito el abuso de los niños (evitando su aburrimiento y sentimientos de soledad) que cualquier doctor o asistente social. Los diversos grupos de autoayuda, Padres Anónimos (para la protección de niños), Alcohólicos Anónimos, Asociación de Padres Separados, etc., están proliferando *ad infinitum* y realizando un trabajo encomiable.

No hay ninguna duda que las familias tienen como primera necesidad la seguridad material. Por debajo de cierto nivel de ingresos, nadie puede criar niños felices, y, de todos modos, por encima de un nivel básico las necesidades cambian. Una vez alimentados y alojados adecuadamente, con lo que más se beneficia la gente es con la oportunidad de conectarse con otras personas y de involucrarse en una actividad determinada que se haya elegido libremente. En general, escuchamos la queja de que «los padres no desean comprometerse», pero normalmente esta queja proviene de alguien que trabaja con padres y maestros alienados y aburridos o que ofrece conferencias que parecen sermones sobre cómo educar a los niños. Comparemos esto con el éxito enorme

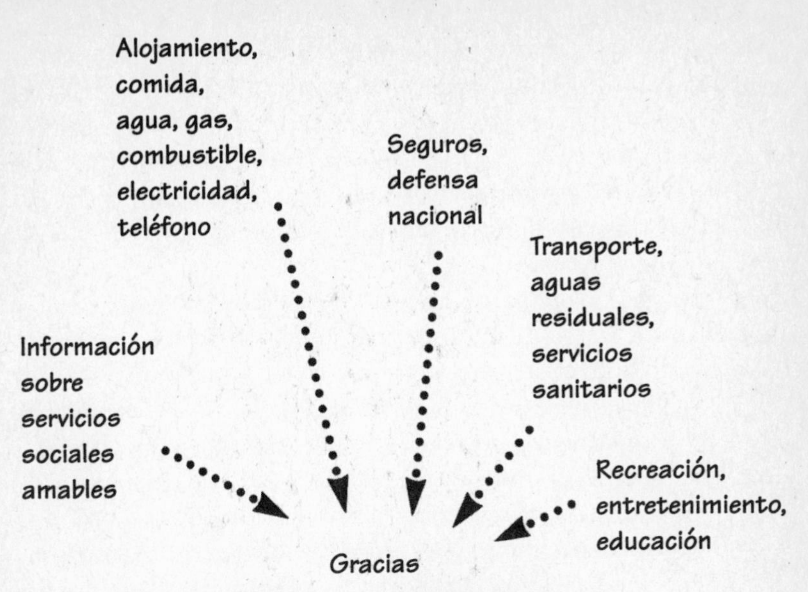
Alojamiento,
comida,
agua, gas,
combustible,
electricidad,
teléfono
Seguros,
defensa
nacional
Transporte,
aguas
residuales,
servicios
sanitarios
Información
sobre
servicios
sociales
amables
Recreación,
entretenimiento,
educación
Gracias

de las fiestas donde se venden recipientes de plástico o lencería de encaje. Está claro que a la gente le encanta participar en reuniones amistosas, y se arriesgarán a llenarse de recipientes de plástico para alimentos con tal de estar allí. Es triste comprobar que este tipo de reuniones son a menudo el único medio para compartir las necesidades comunales y una forma de interactuar en nuestra extensa patria urbana.

En cuanto al tema de apoyar el desarrollo de más grupos comunitarios, el punto más claro es la efectividad del coste. Un amigo mío organiza grupos de autoayuda para personas que sufren o corren el riesgo de sufrir crisis mentales; si consigue que al menos dos personas no sean hospitalizadas, sus esfuerzos ahorran al gobierno el coste de su propio salario. No es necesario decir que él y su grupo obtienen logros aún más importantes.

Un estudio estadístico a gran escala realizado en los Estados Unidos de Norteamérica intentaba descubrir por qué, a pesar de percibir unos ingresos bajos y de provenir de hogares destruidos y alojamientos muy pobres, algunos adolescentes eran productivos y vivían de acuerdo con la ley, mientras otros se convertían en criminales. El único factor de importancia era el hecho de que aquellos que no presentaban problemas se habían comprometido con otros adultos que no pertenecían a la familia y que los habían apoyado afectivamente. Más a menudo, aunque no en todos los casos, los adolescentes pertenecían a algún club o grupo organizado por adultos interesados en su actividad. Trabajar con la juventud es una buena inversión si tenemos en cuenta que encarcelar a los delincuentes juveniles le cuesta al Estado alrededor de 20.000 dólares al año por persona.

Permítanme resumir: si es usted padre, seguramente necesitará a menudo comprometerse con grupos y situaciones extrafamiliares con el fin de que los intereses de su familia progresen y para asegurar el futuro para sus hijos. (Es interesante observar que gran parte del movimiento por la paz está formado por jóvenes padres.) Si está usted comprometido con su comunidad, ya sea como secretaria del club de madres o como parlamentario, lo único que debe usted entender es que las familias necesitan PERTENECER a algo. Todo lo que contribuya a reunir a las familias y a construir fuertes comunidades locales tendrá como consecuencia un ahorro de dinero y de problemas y conducirá a que en el futuro la sociedad tenga más confianza en sí misma. Cuando lo que se gasta es dinero público, prevenir es mejor que curar.

Si es usted un abuelo, un vecino o un amigo

Ser padres puede resultar un asunto solitario; con frecuencia son los vecinos o los parientes más cercanos los únicos testigos de la tensión que se vive o de los modelos negativos de infravaloraciones entre padre e hijo, y desde esta posición es muy difícil ofrecer ayuda de una forma que no sea ofensiva. Aquí van algunas sugerencias:

Ayuda práctica

La mejor ayuda que se puede ofrecer es la de hacer de canguro. Muchos jóvenes padres están agotados de atender las infinitas tareas que implican ser padre y además ganar el dinero para vivir. Un par de horas de liberación les ayudaría, pero es algo que los padres no se animan a pedir por el miedo de que su petición resulte una imposición. Una sugerencia: ofrézcales hacer de canguro «algunas veces» y hágalo, pero ocasionalmente diga: «No podré hacerlo esta semana.» Esto les hace saber que usted puede decir NO, y también significa que no está garantizada esa ayuda. Un amigo mío que es muy astuto accede a hacer de canguro para sus vecinos sólo si ellos utilizarán ese tiempo para relajarse. Suena manipulador pero es efectivo.

La ayuda material viene en segundo lugar. Nuestra sociedad parece estar organizada de tal manera que cuando estamos criando a nuestros hijos tenemos poco dinero y, sin embargo, cuando ya son mayores, el dinero nos sobra. Antiguamente la gente era individualmente más pobre, pero podía *compartir* tareas en la propiedad colectiva de la familia. Las jóvenes familias actuales aprecian muchísimo el préstamo de todo el equipo necesario para criar a los niños (sillas de paseo, etc.) o cualquier otra forma de apoyo material.

Amistad

No hay nada que se pueda comparar con la buena disposición de algún amigo o vecino para escucharnos, con su calidez o su buen humor. Los padres acumulan tensiones y preocupaciones, y si disponen de alguien que los escuche comprensivamente, dichas tensiones se verterán como el agua que se escapa a través de la fisura de un dique. Si tiene usted tiempo para escuchar y preguntar, y si no se apresura a hacer comparaciones o a intentar remediar la situación, entonces podrá observar cómo su interlocutor se relaja visiblemente mientras habla.

No sermonee, enseñe, juzgue, compare, critique, valore ni actúe como Dorothy Dix, y si usted siente que lo inunda el brillo protector de «soy más viejo y más sabio», entonces cierre la boca y sonría hasta que pase ese sentimiento. Un consejo puede ser una bofetada para la autoestima de la persona que lo recibe, en especial si no era lo que esencialmente buscaba. Aún cuando se trate de un «buen consejo» tendrá el efecto secundario de hacer que la persona en cuestión se sienta pequeña. ¡Siga mi consejo!

¡Tienes que
ser más
firme!

Qué es lo que NO se debe hacer

Si es usted el padre del padre, éste es un riesgo aún mayor, pues se sentirá tentado una y mil veces de deslizarse hacia uno de los modelos que usted utilizaba cuando ellos tenían doce años de edad, justo en el momento en que ellos tropezaban y deseaban de todo corazón que usted no lo notara. Si hace usted esto a menudo, sus hijos tendrán que simular que las cosas van bien cada vez que usted esté con ellos, y esto les representará una carga extra.

Los adultos necesitan amigos y mensajes positivos.

Padres adicionales

Margaret Mead dijo una vez que los niños pequeños y los abuelos se llevan bien porque tienen un enemigo común. Los niños necesitan a otros adultos como amigos y confidentes y también para que los aprueben y les manifiesten su cariño en esos momentos en los que los padres están demasiado sobrecargados como para responder bien. Hasta el abuelo más malhumorado resulta valioso aunque sólo sea para demostrar que, en contraste con él, Mamá y Papá son dos personas encantadoras. Conozco varias personas que lograron pasarlo bien en su infancia a pesar de tener una vida hogareña bastante insoportable porque existía una persona mayor que les proporcionaba un puerto seguro.

Cuando las familias se relacionen con amigos y vecinos, y cuando la gente de una generación tenga acceso a otra generación, no habrá necesidad de psicólogos ni departamentos de asistencia social; sabremos cuidar de nosotros mismos.

CARTA DE UNA MADRE

Estimado Steve:

Me siento muy nerviosa al escribir sobre mí misma, sabiendo que un montón de gente pronto leerá mis palabras, pero deseo ofrecer mi ayuda porque nosotros, los padres, tenemos que ayudarnos unos a otros.

Hace ahora un año mi familia estaba pasando un momento muy malo; un par de veces estuve a punto de matar a nuestra hija Gayle que tiene ahora tres años. Dale, mi marido, y yo nunca pudimos hablar del tema sin discutir, y Peter, que sólo tiene seis años, empezaba a tener problemas en el colegio. Lo último que yo deseaba era tener que escuchar a un «experto» diciéndonos lo que teníamos que hacer.

El doctor P. dijo que yo ya no podía tomar más tranquilizantes, y que debía buscar algún tipo de ayuda para conseguir relajarme, de lo contrario no estaría en condiciones ni siquiera para conducir el coche, ya que estaba bastante narcotizada. Él me dio sus señas y me dijo que usted era una persona con la que se podía hablar, y, a pesar de todas mis dudas, lo llamé para concertar una cita.

La primera sorpresa fue que usted me pidió que Dale me acompañara. A él no le gustó la idea, dijo que no tenía tiempo y agregó que era yo la que tenía problemas con los niños, lo cual es cierto, pues siempre se portan bien con él. Pero usted había insistido, de modo que, finalmente, accedió a acompañarme. Mi primera impresión al entrar en la consulta fue: «¿Quién es este tío? No parece mayor que yo ni que Dale, ¿qué podrá saber?»

Usted nos hizo preguntas muy extrañas, y yo sólo deseaba salir corriendo de allí. ¿Qué le pasa físicamente cuando los niños la molestan? ¿Cómo sabe usted cuando se va a bloquear? ¿Cuál es la primera señal de advertencia?

Y lo mismo con Dale, cuando nos peleamos.

¿Cómo se siente él? ¿Qué es lo que él desea que pase? (Esto fue toda una sorpresa, pues a Dale no le gusta hablar de sus sentimientos. Otra persona podía haber puesto las cosas más fáciles). La madre de Dale acostumbraba infravalorizarlo continuamente y, de hecho, aún lo hace, pero nunca me imaginé que eso le hacía tanto daño. Ahora ha cambiado mucho; la semana pasada empecé a darle la lata y me dijo «Deja ya de quejarte y abrázame», ¿qué podía yo decir?

No me sentía inclinada a hablar de mi niñez, pues suponía que eso no tenía nada que ver con lo que me pasaba. (Aunque sospechaba que tenía mucho que ver.) Mis padres no eran afectivos. Mamá estaba enferma con mucha frecuencia. Yo me sentía un estorbo la mayor parte del tiempo y solía tener el mismo sentimiento de tirantez en la cabeza que he sentido todos estos años cuando los niños me agobian.

Nunca había conectado las dos situaciones.

En su carta, Steve, usted me pidió que contara todo aquello que pudiera recordar y que fuera útil. Esa primera noche que acudimos al Centro de Salud fue como una bomba. Justo cuando yo creía que habíamos terminado usted preguntó: «¿Siente usted algunas veces que podría hacer daño a los niños?»

Como llovida del cielo, ¡vaya una pregunta!

Y yo respondí: «Algunas veces», e inmediatamente pensé que a lo mejor me quitarían a los niños. Estuve a punto de mentirle pero no pensé que pudiera engañarlo. Luego usted preguntó: «¿Durante cuánto tiempo puede usted comprometerse conmigo en que no les hará ningún daño? Todas estas cosas daban vueltas en mi mente, ¿cómo podía decirlo?, ¿qué pasaría si se portaban realmente mal?

Finalmente, respondí: «Quizá una semana.» Usted preguntó: «¿Quizá?», mientras me miraba de un modo extraño. «Una semana», dije definitivamente. Luego usted dijo: «Muy bien, nos veremos otra vez antes de una semana.» No se cuál fue la razón, pero me puse a llorar. Dale y yo nos fuimos a casa, y esa noche hablamos durante horas, y ése fue sólo el comienzo.

Muchas otras cosas nos ayudaron a partir de entonces. Cuando me sentía impulsada a pegar a los niños, me iba a dar un pequeño paseo, y recuerdo que una vez empecé a chillar a los niños y terminé golpeando los colchones en el dormitorio. Me sentí capaz de pedirle a la vecina que cuidara durante un rato a los niños. Aprendí a disfrutar de las «atenciones» de Dale y a pedirle lo que deseaba (pido perdón por no extenderme demasiado en los detalles).

Cuando Dale fue despedido lo pasamos mal un tiempo, pero nos unimos a un grupo de Padres Anónimos y aprendimos acerca de las infravalorizaciones y los estímulos positivos y todas esas historias.

Cómo me hubiera gustado que mis padres hubieran sabido todas estas cosas.

Descubrí que no era la única persona en el mundo que tenía problemas con sus hijos.

Le di mis últimos valiums a los pollos de los vecinos. ¡Qué risa!

A veces todavía es duro, pero me siento una nueva persona, y los niños están mucho mejor gracias a esto. La gente también me lo dice, así que sólo puedo decir: ¡Gracias!

Sé que usted me pidió que escribiera esto, porque me gusta anotar las cosas, y usted pensó que otra gente se podría beneficiar al leerlo. Espero que esté bien, y envío mis saludos a todos los otros padres que a veces creen que son los peores del mundo. Cuídense mucho.

Con amor,

Judy

Palabras finales

SÓLO los padres interesados por sus hijos se ocupan de leer libros sobre cómo ser padres. Al leer este libro, ustedes encontrarán que algunas partes dan rápidamente en el «blanco», mientras que otras no son tan relevantes ni tampoco tan interesantes.

Probablemente se haya saltado usted algunos trozos y leído otros. Eso está muy bien, porque el libro ha sido pensado para utilizarlo de esa manera. Las partes que han reflejado su situación y que se pueden aplicar a sus niños seguramente le harán pensar después de haber apartado el libro, y algunas veces quizá se encuentre diciendo cosas diferentes o pensando las cosas de un modo más fácil o menos rígido al tratar con sus hijos.

Así es como cambian las cosas. Usted puede hacer un verdadero esfuerzo si así lo desea, pero no podrá evitar que su situación como padre sea cada vez mejor cuando estas ideas se reúnan con el resto de sus pensamientos y con su aprendizaje.

Algunas veces volverá usted atrás para releer partes del libro y encontrar ciertas cosas que antes no había advertido, porque usted ha progresado desde la primera vez que lo leyó y puede ahora asimilar más. Puede utilizar el libro cuando esté deprimido o se sienta agobiado para desprenderse de esa situación.

Cuando hable con los niños, usted se encontrará pensando en cómo utilizar los mensajes «Yo» en vez de las infravalorizaciones hipnóticas. Puede que usted reflexione más acerca del afecto y la atención positiva, o quizá sea el escuchar activamente lo que le ayude a estar más unido a sus hijos. A lo mejor, la novedad para usted es saber ser enérgico o el hecho de estar trabajando para darle a su familia el perfil que a usted desea.

En ocasiones usted siente que nada ha cambiado, todo parece tan difícil, y de pronto un día se da cuenta de que usted, los niños y la gente que lo rodean son mucho más felices que antes. El progreso real es como las mareas, viene por oleadas. Aprenda a confiar en él.

Apéndice

SI usted ha disfrutado con la lectura de este libro, le recomendamos algunos otros títulos que tratan también de niños y padres; quizá los encuentre usted útiles.

LECTURAS RECOMENDADAS:

James & Jongeward: *Born to Win*, Addison Weseley, Reading, Mass., 1971.

Gordon, Thomas: *Parent Effectiveness Training*, Plume, Nueva York, 1970.

Dobson, James: *Dare to Discipline*, Tyndale, Wheaton, III, 1970.

Liedloff, Jean: *The Continuum Concept*, Futura, Londres, 1975.

Axline, Virginia: *Dibs*, Penguin, Londres, 1980.

Morosi, Juni: *Tomorrow's Child*, «Research for survival», 1982.

Embling, John: *Tom - a child's life regained*, Pelican, Melbourne, 1980.

Schiff, Jacqui: *All Our Children*, Ballantine, Nueva York, 1974.

Illsley-Clarke, Jean: *Self-Esteem: A Family Affair*, Winston, Oak Grove MN., 1978.

York, David y Phillys: *Tough love*, Bantam, Nueva York, 1983.

Biddulph, Steve y Shaaron: *The Making of Love*, Doubleday, Sydney, 1988.

CINTAS RECOMENDADAS:

Vínculo entre padres e hijos

Existen cintas para utilizar durante el embarazo y en los primeros años de vida del niño, con el fin de maximizar los vínculos tempranos o sanear las relaciones que han resultado dañadas a causa de la separación durante el parto, etcétera.

Relajación/Meditación

Hay en el mercado cintas disponibles para relajarse y obtener claridad mental y para alcanzar dichos estados en un tiempo notablemente corto.

INFORMACIÓN ADICIONAL (para los que trabajen con niños)

La tesis de este libro es simple: los chicos crecen y maduran de acuerdo con lo que les decimos y con la forma en que lo decimos. En el primer capítulo nos hemos ocupado de describir la forma en que son programados los niños. La información más sorprendente, muy conocida por los especialistas pero casi ignorada por el público en general, es el grado en que esa programación se produce hipnóticamente sin que los niños ni los padres tengan consciencia de ello.

Mi objetivo al escribir este libro es ayudar a los padres a reconocer y eliminar lo que yo llamo «ser padre desvalorizando», es decir utilizando mensajes destructivos como modo de controlar a los niños. Los capítulos que siguen al primero ofrecen alternativas para que los padres puedan abandonar el estilo de las desvalorizaciones sin el temor de sentirse perdidos sin saber qué hacer.

Los profesionales que trabajan con niños y en orientación seguramente reconocerán algunos de los conceptos utilizados en este libro, de cualquier modo para todos aquellos que deseen profundizar en algunas ideas en particular o explorar las implicaciones de ayudar a niños y familias, ofrecemos a continuación un breve resumen de las fuentes que hemos consultado para cada capítulo:

1. Semillas en la mente

La importancia de la «grabación» de los mensajes parentales fue reconocida por primera vez por Eric Berne y es la parte central del tratamiento conocido como Análisis Transaccional. Robert y Mary Goulding sistematizaron la programación negativa de los niños en diez mensajes básicos «NO...» y encontraron que no eran programaciones pasivas (como había supuesto Berne) sino una cooperación «inconsciente» del niño que permitía que los mensajes se mantuvieran activos, perjudicando severamente las oportunidades de su vida adulta. Rastrear y hacer consciente dicha programación forma parte de una técnica de tratamiento conocida como «Terapia de Re-decisión».

Los niños que han sido muy perjudicados pueden carecer de mensajes sustitutivos aunque se encuentren en un ambiente donde se les prodiguen muchos cuidados. Jacqui and Aaron Schiff realizaron un exitoso sistema de intensa reprogramación con este tipo de niños con unos componentes muy instructivos y muy nutritivos que se llama «Volver a ser padres».

El concepto de «hipnosis accidental» es directamente atribuible al trabajo de Milton Erikson y se describe en sus propios libros y en todos los libros que se han escrito sobre él después de su muerte. En particular, Richard Bandler y John Grinder han aclarado la forma en que tiene lugar este proceso y también cómo se puede utilizar deliberadamente. La ética de este método está actualmente en debate.

Los «mensajes Tú» se han popularizado por ese nombre debido a Thomas Gordon y a su sistema de Efectividad de los Padres que goza de un enorme éxito. Bajo el nombre de «atribuciones» se tratan en casi todos los textos sobre Terapia Familiar, por ejemplo, los libros de Virginia Satir, Jay Haley, R. D. Laing, etcétera.

2. Lo que los niños realmente quieren

El trabajo de René Spitz, John Bowlby y otros y los escritos sobre las condiciones conocidas como hospitalismo y marasmo nos han conducido a hablar de «estímulos positivos». El acercamiento a la modificación de la conducta en general se construye a partir de este concepto: «lo que se da es lo que se recibe.» El trabajo de Amelia Auckett sobre masajes para bebés es una buena introducción para ser un padre afectuoso.

3. Como curar escuchando

O «escuchar activamente» se desarrolla a partir de Carl Rogers —orientación centrada, que se aplica a las situaciones cotidianas. Una vez más Thomas Gordon logra que este acercamiento comience a utilizarse con los padres.

4. Los niños y las emociones

Las emociones se entienden mejor como variaciones de los cuatro estados biológicos —ira, tristeza, alegría y miedo. Mientras que estos estados son innatos, su expresión se moldea de forma significativa por factores familiares y culturales. La teoría y la práctica de la Orientación —y el trabajo de Harvey Jackins— es útil para comprender y liberar la parte emocional del ser humano. La enseñanza sistemática de respuestas emocionales expresivas y socialmente constructivas fue desarrollada por la Escuela de Volver a Ser Padres del Análisis Transaccional. Es muy importante el concepto de emociones «raqueta» o falsas, utilizadas para controlar a los demás. Las rabietas, la timidez, el malhumor o el aburrimiento son perturbaciones emocionales comunes en los niños que son demasiado tolerados en nuestra cultura y con frecuencia perduran en la vida adulta como violencia, depresión, etc. Ken y Elizabeth Mellor fueron los primeros en enseñarnos la naturaleza falsa de la timidez y cómo «curarla».

5. El padre enérgico

Se conoce y se enseña cómo ser enérgico pero esto no se aplica frecuentemente para educar a los hijos y es una pena porque si los padres son enérgicos no necesitan desvalorizar ni humillar a sus niños. Los cursillos y los libros adecuados se ocupan de las habilidades superficiales pero los libros y cursillos realmente útiles son los que ayudan a los padres a reflexionar sobre su propia programación negativa.

El movimiento de «Tough Love» («Amor duro») en los EE.UU. parece muy práctico para los padres que tienen problemas con sus hijos.

6. Perfil familiar

Margaret Mead, con su modo irreprimible, hizo todo cuanto estuvo en sus manos para recordarnos que ya no vivimos en familias de verdad sino en fragmentos de familias. Virginia Satir, Margaret Topham, Sal Minuchin nos enseñan modos más elaborados de observar la estructura intrafamiliar igual que cualquier fuente de «terapia de familia estructural».

7. Edades y etapas

Las etapas de desarrollo utilizadas en este libro se basan en el trabajo de Pamela Levin. El libro de Jean Illsley-Clarke (se encuentra entre las Lecturas Recomendadas) que amplía las ideas de Levin, es el libro sobre desarrollo infantil más práctico y realista que he leído.

8. La energía y cómo ahorrarla

La idea de que la energía se puede movilizar entre las personas está científicamente lejos de ser respetada y existe muy poca documentación sobre este tema. (La Unión Soviética estaba a la cabeza en este campo) (recuérdese que el libro está escrito antes de la desaparición de la URSS). Por otro lado, la experiencia de «ser descargado» por otras personas y de dar y recibir energía está mundialmente reconocida por los padres. El trabajo de Ken Mellor en Australia y de Julie Henderson y otros «bioenergetistas» en EE.UU. apuntan a que esto es más que una metáfora y que puede salvar la vida de aquellos padres para quienes el agotamiento es un riesgo cotidiano.

Acerca del autor

STEVE Biddulph se graduó como psicólogo clínico y antes de comenzar a trabajar viajó a Nueva Zelanda, Singapur y a los Estados Unidos en busca de los mejores profesionales para aprender de ellos.

Steve Biddulph ha trabajado como psicólogo y terapeuta de jóvenes, y ha realizado un extenso aprendizaje en los días en que se abrían nuevos caminos en el campo de la terapia familiar, trabajando con toda la familia para resolver conflictos y problemas.

Junto a su esposa Shaaron, Steve Biddulph dirige actualmente el Centro Collinsvale construido en las montañas cerca de Hobart, Tasmania, y su trabajo consiste en entrenar a consejeros, terapeutas y maestros, así como también en organizar talleres sobre vida familiar y comunicación.

Steve es también autor de juegos de aprendizaje sobre anticoncepción, desempleo e inmigración, que han sido merecedores de premios. ¡Y además es padre!

COLECCIÓN TEMAS DE SUPERACIÓN PERSONAL

1 **LECTURA RÁPIDA PARA TODOS,** *por R. G. Carbonell.*

2 **TODOS PUEDEN HABLAR BIEN,** *por R. G. Carbonell.*

6 **LA CLAVE DEL ÉXITO,** *por B. Secher.*

9 **CÓMO DESARROLLAR LA MEMORIA,** *por J. Dineen.*

11 **CÓMO ESTUDIAR,** *por R. Fenker.*

12 **NUEVO TRATADO DE ETIQUETA Y REGLAS SOCIALES,** *por Debrett.*

16 **CÓMO MULTIPLICAR LA INTELIGENCIA DE SU BEBÉ,** *por G. Doman.*

17 **ESTUDIEMOS SIN ESFUERZO,** *por R. G. Carbonell.*

19 **LA TIMIDEZ VENCIDA EN TRES SEMANAS,** *por J. Chartier.*

21 **EL MÉTODO SILVA DE CONTROL MENTAL. DINÁMICAS MENTALES,** *por J. Silva y B. Goldman.*

22 **OPTIMISMO CREADOR,** *por G. Barbarin.*

24 **EL MÉTODO SILVA DE DOMINIO DE LA MENTE,** *por T. Powell y J. L. Powell.*

26 **CÓMO GANAR AMIGOS,** *por G. Oakley.*

27 **EL PODER DEL PENSAMIENTO POSITIVO,** *por G. Oakley.*

30 **EL MÉTODO PARA ALCANZAR EL ÉXITO,** *por R. L. Muñoz.*

31 **JOSÉ SILVA, CREADOR DEL MÉTODO SILVA DE CONTROL MENTAL,** *por R. B. Stone.*

32 **LA CIENCIA DE HACERSE RICO,** *por W. D. Wattles.*

33 **CÓMO VENCER EL MIEDO Y LA ANGUSTIA,** *por G. Barbarin.*

34 **EL PODER DE LA EXPRESIÓN ORAL,** *por R. García Carbonell.*

35 **GIMNASIA CEREBRAL,** *por M. Vos Savant y L. Fleischer.*

36 **UTILICE SU SUBCONSCIENTE PARA EL ÉXITO,** *por P. Harris.*

43 **EL LIBRO DEL AMOR,** *por F. Andrews.*

44 **ME SIENTO GORDA,** *por L. C. Ladish.*

45 **CUERPO DE MUJER,** *por L. C. Ladish.*

46 **EL LIBRO DE LA EXCELENCIA,** *por B. Baggett.*

47 **PENSAR PARA LA EXCELENCIA CON EL LADO DERECHO DE SU CEREBRO,** *por Alder H.*

49 **GIMNASIA CEREBRAL EN ACCIÓN,** *por M. Vos Savant.*

50 **BELLEZA INTERIOR,** *por Lorraine C. Ladish.*

51 **EL LIBRO DE LOS BESOS,** *por W. Cane.*

52 **EL LIBRO DE ORO DEL VENDEDOR,** *por B. Baggett.*

55 **LAS SIETE LEYES ESPIRITUALES DEL ÉXITO,** *por D. Chopra.*

57 **CÓMO AMAR LO QUE TIENES,** *por T. Miller.*

59 **LAS 22 LEYES DEL BIENESTAR,** *por G. Anderson.*

60 **LAS LLAVES DEL ÉXITO DE NAPOLEÓN HIL,** *por N. Hill.*

61 **LOS TESOROS DE LA VIDA,** *por J. D. Walters.*

62 **SOBRE EL ÉXITO,** *Instituto Forbes de la Dirección.*

63 **REGLAS DE ORO,** *por W. Dosick.*

64 **LA LLAVE DE ORO DE LA FELICIDAD,** *por M. Saionji.*

65 **LA VÍA DE LA MUJER,** *por Helen M. Luke.*

67 **EL PODER DEL PENSAMIENTO LÓGICO,** *por M. vos Savant.*

68 **SER MADRE,** *por Alexandra Stoddard.*

69 **EL CAMINO DEL LÍDER,** *por D. G. Krause.*

70 **LAS 36 ESTRATEGIAS CHINAS,** *por G. Yuan.*

71 **LAS SIETE LEYES ESPIRITUALES PARA PADRES,** *por D. Chopra.*

72 **EL CÓDIGO DEL EJECUTIVO,** *por D. Schmincke.*

73 **EL TAO DE LAS VENTAS,** *por T. Behr.*

74 **LA SALUD POR EL PLACER,** *por Dr. Paul Pearsall.*

75 **TEST DE APTITUD PROFESIONAL,** *por J. K. Klein y C. Unterman.*

76 **EL CÓDIGO DEL CORAZÓN,** *por P. Peorsall.*

77 **ZEN EN LOS MERCADOS,** *por E. Allen Zoppel.*

78 **NUEVAS TÉCNICAS DE LA COMUNICACIÓN ESCRITA,** *por R. G.ª Carbonell.*

79 **TÚ ERES INMORTAL,** *por D. Chopra.*

80 **EL ARTE DE LA RIQUEZA,** *por T. Cleary.*

81 **VIDA SIN LÍMITES,** *por R. B. Stone.*

82 **EL PODER VERDADERO,** *por J. A. Austry y S. Mitchell.*

83 **EL LIBRO DE LOS CINCO ANILLOS PARA EJECUTIVOS,** *por D. G. Krause.*

84 **LAS DIEZ PERLAS DE SABIDURÍA,** *por E. Jacobs.*

COLECCIÓN AUTOAPRENDIZAJE

1 **ORTOGRAFÍA PRÁCTICA,** *por Guillermo Suazo Pascual.*

2 **GRAMÁTICA PRÁCTICA,** *por Antonio Benito Mozas.*

3 **ESCRITURA CREATIVA,** *por Louis Timbal-Duclaux.*

4 **DICCIONARIO DE DUDAS,** *por Carmen de Lucas.*

5 **EJERCICIOS DE SINTAXIS,** *por Antonio Benito Mozas.*

6 **EL LENGUAJE LITERARIO,** *por Fernando Gómez Redondo.*

7 **CONJUGACIÓN DE LOS VERBOS,** *por Guillermo Suazo Pascual.*

11 **CÓMO LEER TEXTOS LITERARIOS,** *por Julián Moreiro.*

12 **LA CRÍTICA LITERARIA DEL SIGLO XX,** *por Fernando Gómez Redondo.*

19 **ABECEDARIO DE DICHOS Y FRASES HECHAS,** *por Guillermo Suazo Pascual.*